JN040165

1 次の計算をしなさい。

(1) $64-(22+19)$

(2) $432×$

(3) $0.2×0.45$

(4) $9.72÷2.7$

(5) $\dfrac{2}{5}×\dfrac{3}{4}×\dfrac{10}{9}$

(6) $1.7×\dfrac{4}{7}+5.3×\dfrac{4}{7}$

2 次の［　］の数の公約数を全部書きなさい。また，最大公約数を書きなさい。

1つ4点【16点】

(1) ［15, 45］

公約数 (　　　　　　　　)　　　最大公約数 (　　　　　　　　)

(2) ［24, 18］

公約数 (　　　　　　　　)　　　最大公約数 (　　　　　　　　)

3 ある農場で最初の4ヶ月間（1月から4月まで）の野菜の収穫量の平均は75tで，次の7ヶ月間（5月から11月まで）の収穫量の平均は80tでした。

1つ5点【10点】

(1) 1月から11月までの収穫量の平均は何tですか。四捨五入して，$\dfrac{1}{10}$の位まで求めなさい。

(　　　　　　　　)

(2) 12月の収穫量が何tであれば，1月から12月までの収穫量の平均が78tになるか。

(　　　　　　　　)

4 次の式で, x の表す数を求めなさい。

(1) $7 : x = 14 : 32$

(2) $17 : 5 = x : 25$

(　　　　　　)　　　　　　　　　　(　　　　　　)

5 1, 3, 6の3枚のカードがあります。これを使って3けたの数をつくります。次の問いに答えなさい。

1つ5点【10点】

(1) 3けたの数は何通りできるか。

(　　　　　　)

(2) 3けたの奇数は何通りできるか。

(　　　　　　)

6 次の図形の面積を求めなさい。

1つ5点【15点】

(1)

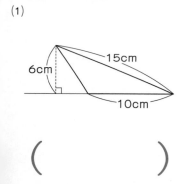

(2)

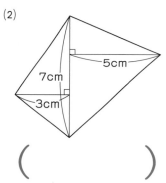

(3)

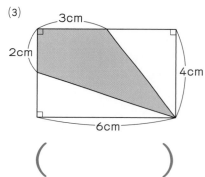

(　　　　　　)　　(　　　　　　)　　(　　　　　　)

7 次の円柱の(1)体積と(2)表面積を求めなさい。

1つ5点【10点】

(1) 体積

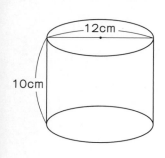

(　　　　　　)

(2) 表面積

(　　　　　　)

小学校の算数の
総復習が7日間でできる本

改訂版

算数6

監修
陰山英男
陰山ラボ代表・教育クリエイター

KADOKAWA

はじめに

　小学校で毎日学習することが多かった算数。その「6年分をたった1週間で振り返ることなど不可能だ」と、多くの人は思っているでしょう。

　でも、実は違います。小学校で学習する算数の内容はそれほど多いものではありません。ただ、内容が多くないとはいえ、「活用できる」レベルになるまでには練習が必要であり、その練習に多くの時間を使うので、学習量が多いように思われがちなのです。

　この本は、「中学校の数学において、つまずかないようにする」ということを第一に構成しました。たとえば、面積の単位は、小学校でかなりの時間をかけて学習をしています。しかし、改めて考えてみると cm^2、m^2、a、ha、km^2、この5つしかありません。1aは何 m^2 だったでしょうか。この基本的な問題の答えをすぐに出せる人は、意外と少ないのではないでしょうか。

　算数が難しいと感じたり、学習量が多いと感じたりするのは、「基本的なことに完全に習熟していない」ことが最大の理由です。また、算数の内容をまとめて学習しようにも、「何をどう重視し、何を省くのか」ということは大きな課題です。

　この本は、中学校につながる学習のポイントを重要なものから配列し、短期間、短時間で完全に習熟することをめざしています。

　もちろん、1つ1つ問題を解いていくと、解けない問題が出てくると思います。そうしたできない問題が出てきたときこそ、喜んでほしいのです。「わからないのに喜べ」、というのは不思議に思うかもしれませんが、わからないところを見つけ、きちんと習熟すればただちに学力は高まっていきます。

　学力が高くならないのは、基本的な理解が十分でなかったことや、あるいはせっかく覚えても忘れてしまっているというところに大きな理由があるのです。

　こうした「学習の虫食い状態」が算数を苦手にしている理由です。虫食い状態の穴を見つけ、その穴を埋めるように学習し直していくことは、算数の学力全体を高めていくことに他なりません。逆に、わからない問題があいまいなまますべてをやろうとすると、理解しているところにも力を割くことになり、理解の不十分なところが放置される結果につながってきます。

ですから、この本を解きながら、「解けなかった問題」「苦手と思った問題」を見つけ、その問題を繰り返し解いて完全なものにしていく、そのように活用をしてください。

　もう1つ重要なことがあります。基礎的な計算力を高めておくことです。これらの問題を解いていくためには数々の計算をこなさなければなりません。計算をしていく土台は、百ます計算のたし算、ひき算、かけ算をとりあえず2分以内、できれば1分30秒以内にできるようにしておくことです。基礎的な計算力は、この本を楽に進めることや、中学校の数学につなげていくことにおいて、とても重要です。

　百ます計算で基礎的な計算力を高めながら、この本によって自分の苦手を見つけ、穴を埋めていくことで、短期間に小学校の算数全体の学力を高められるでしょう。

　また、短期間にこの1冊の内容を十分に理解することができれば、単に1つ1つの問題を理解したのと同時に、「算数学習の仕組み全体」を理解することにもなってきます。「鳥が下の世界を見るような見方」、これを俯瞰といいますが、そのような「俯瞰的な理解」が、算数においてもできるようになってくるのです。

　中学校に行けば、個々の単元の問題を解いていくだけではなく、複雑な学習をしていくことになります。6年間の学習の「俯瞰的な理解」を土台にしながら、苦手を克服し、「小学校の算数は完全にできるようになった！」と思えるまで、この本を活用してください。

　この本を1回で終わらせるのではなく、2回、3回と学習し、問題と答えを覚えてしまうほど繰り返すことによって、算数の知識が「単に覚えた」レベルから、「活用できる」レベルに変わっていくでしょう。

　こうして学んだ知識を活用すること、その力が思考力と言っていいでしょう。つまり、基礎力が完全な状態にまで高められてこそ、思考力は大きく花開くことになるわけです。

　この本が、6年間の単純なおさらいではなく、中学校の数学を見通した未来を切り開く土台となることを理解して、しっかり活用してもらえればと願っています。

監修　陰山　英男

contents

〈STAFF〉
カバーデザイン：喜來　詩織（エントツ）／本文デザイン：佐藤　雄太（AFTERGLOW）／カバーイラスト：けーしん／
イラスト・図版：ツダタバサ／執筆協力：（株）群企画，（合）エデュ・プラニング／編集協力：多々良　拓也／
校正・校閲：（株）鷗来堂，西川　かおり／DTP：（株）フォレスト

この本の特長と使い方

この本の特長

1 中学校でつまずかないための工夫がいっぱい
2 7日間でやりきれるから，すぐにおさらいができる
3 「中学校のさきどり」で，同級生をリードし続けるポイントを伝授

この本の使い方

① 「目標時間」は，その単元に取り組む目安を示しています。
　この時間内に解き終えられるように進めてみましょう。
② 「復習ポイント」では，しっかりと押さえておくべき内容を示しています。
　この「復習ポイント」を読んでから，問題に取り組みましょう。
③ 「例題」では，重要な問題のパターンを取り上げています。
　「例題」の問題や解説を参考に，「練習問題」（右ページの問題）に取り組んでみましょう。
④ 学年のマークは，その問題で復習することを，小学校のどの学年で習ったかを示しています。
⑤ 「中学校のさきどり」では，小学校で学んだこと・中学校でこれから学ぶことを踏まえて，同級生から一歩リードするための切り口・知識を伝授します。

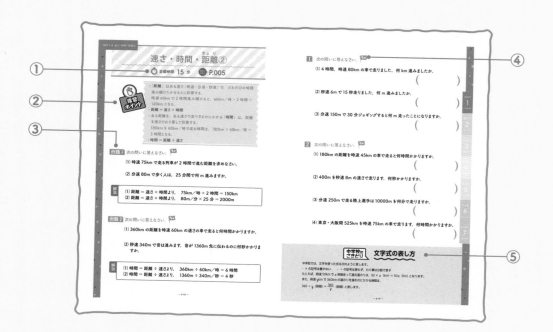

⑥ 「テスト」では，各 DAY でおもに学んだことを確認します。

⑦ 「解答・解説」は，本体から切り離すことができます。
本体の問題を見ながら，丸付けや復習をしましょう。

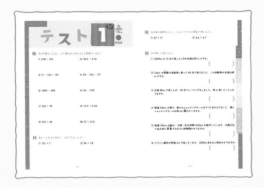

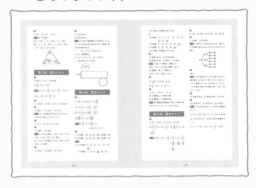

巻頭の「実力テスト」・別冊の「解答・解説」も

巻頭とじこみの「実力テスト」で重要な単元の力だめしができます。いちばん初めに取り組むのがおすすめです。くわしい使い方は「実力テスト」の表紙にあります。

巻末に付属の別冊「解答・解説」で答え合わせをしましょう。解説まで読むことで理解が深まります。

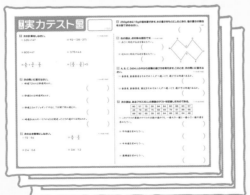

整数のたし算・ひき算・かけ算

⏱ 目標時間 **15** 分 　解答は別冊の ➡ **P.004**

復習ポイント

・筆算をするときは，位をそろえて書く。
・たし算・ひき算の筆算では，一の位の次に十の位のように，小さな位から計算する。
・かけ算の筆算では，かける数の一の位と十の位を別々に計算し，最後にたし算をする。

例題1 次の計算をしなさい。

(1) $385 + 136$

(2) $456 - 178$

(3) $52 - (17 + 32)$

(4) $73 - (52 - 33)$

解説

(1)
$$\begin{array}{r} {\scriptstyle 1\ 1} \\ 385 \\ +\ 136 \\ \hline 521 \end{array}$$

(2)
$$\begin{array}{r} {\scriptstyle 3\ 4} \\ 4\!\!\!/5\!\!\!/6 \\ -\ 178 \\ \hline 278 \end{array}$$

(3) $52 - (17 + 32)$
　$= 52 - 49$
　$= 3$

(4) $73 - (52 - 33)$
　$= 73 - 19$
　$= 54$

例題2 次の計算をしなさい。

(1) 203×78

(2) 578×462

解説

(1)
$$\begin{array}{r} 203 \\ \times\ 78 \\ \hline 1624 \\ 1421 \\ \hline 15834 \end{array}$$
　1624 ←203 × 8
　1421 ←203 × 70
　15834 ←たしあわせる

(2)
$$\begin{array}{r} 578 \\ \times\ 462 \\ \hline 1156 \\ 3468 \\ 2312 \\ \hline 267036 \end{array}$$
　1156 ←578 × 2
　3468 ←578 × 60
　2312 ←578 × 400
　267036 ←たしあわせる

1 次の計算をしなさい。

(1) 465 + 228

(2) 486 + 346

(3) 537 + 684

(4) 421 − 89

(5) 355 − 266

(6) 1000 − 101

(7) 86 − (18 + 39)

(8) 74 − (81 − 12)

2 次の計算をしなさい。

(1) 406 × 89

(2) 647 × 205

(3) 476 × 234

(4) 175 × 928

整数のわり算

 目標時間 **15** 分　解答は別冊の **P.004**

・63 ÷ 3 のように，九九 1 回で計算できないわり算は，筆算で計算できる。「たてる・かける・ひく・おろす」をくり返す。
・85 ÷ 21 のような 2 けたの数のわり算では，およそ何十とみて，見当をつけた商をたてる。

例題 1 次の計算をしなさい。あまりがあるときはあまりも書きなさい。

(1) 48 ÷ 4　　　(2) 79 ÷ 3　　　(3) 282 ÷ 5　　　(4) 808 ÷ 6

解説

```
(1)    12        (2)    26        (3)    56        (4)   134
    4)48            3)79            5)282           6)808
      4               6               25              6
      8              19              32             20
      8              18              30             18
      0               1               2             28
                                                    24
                                                     4
```

💡 商 × わる数 ＋ あまり ＝ わられる数 で検算

例題 2 次の計算をしなさい。あまりがあるときはあまりも書きなさい。

(1) 68 ÷ 32　　　　　　　　　(2) 498 ÷ 41

解説

```
(1)      2  ←               (2)           50 ÷ 40 とみて，1 をたてる
    32)68    70 ÷ 30 とみて，2 をたてる          12
      64                        41)498
       4                          41
                                  88
                                  82    90 ÷ 40 とみて，2 をたてる
                                   6
```

1 次の計算をしなさい。商は一の位まで求め，あまりがあるときはあまりも書きなさい。 4年

(1) 66 ÷ 3

(2) 98 ÷ 7

(3) 71 ÷ 4

(4) 126 ÷ 6

(5) 586 ÷ 4

(6) 384 ÷ 5

2 次の計算をしなさい。商は一の位まで求め，あまりがあるときはあまりも書きなさい。 4年

(1) 97 ÷ 32

(2) 483 ÷ 55

(3) 3072 ÷ 256

(4) 4000 ÷ 700

DAY 1
DAY 2
DAY 3
DAY 4
DAY 5
DAY 6
DAY 7

小数のたし算・ひき算・かけ算

⏱ 目標時間 **15** 分 　 解答は別冊の ● **P.004**

 **復習ポイント**

- ・たし算・ひき算の筆算では，小数点の位置を見て，位をそろえて計算する。
- ・かけ算の筆算では，整数と同じように右にそろえて書く。
- ・1.4 × 0.3 は，14 × 3 と同じように計算し，小数点以下の数（2個）分，答えを後ろから数え，小数点をうつ。

例題 1 次の計算をしなさい。 3年

(1) 5.2 ＋ 1.5　　(2) 6.3 － 2.8　　(3) 17 ＋ 6.5　　(4) 3 － 1.9

解説

小数点をそろえる

```
(1)   5.2
   + 1.5
     6.7
```

小数点をそろえる

```
       5
(2)   6.3
   − 2.8
     3.5
```

小数点があると考える

```
       1
(3)   17
   +  6.5
    23.5
```

小数点があると考える

```
       2
(4)   3
   − 1.9
     1.1
```

💡 整数と小数のたし算やひき算をする場合も，一の位と $\frac{1}{10}$ の位の間に小数点があると考えて位をそろえる。

例題 2 次の計算をしなさい。 5年

(1) 2.6 × 3.4　　　　　　　　(2) 0.5 × 0.7

　　　　　　　　　　　　　　　　　←5 × 7 を計算する
　　　　　　　　　　　　　　　　　←たしあわせる

解説

```
(1)   2.6   ←小数点以下の数が 1 個
    × 3.4   ←小数点以下の数が 1 個
    1 0 4
    7 8        26 × 34 を計算する
    8.8 4   ←後ろから 2 個分の位置に
              小数点をうつ
```

```
(2)   0.5   ←小数点以下の数が 1 個
    × 0.7   ←小数点以下の数が 1 個
    0.3 5     ( 5 × 7 を計算する
              後ろから 2 個分の位置に
              小数点をうつ
```

1 次の計算をしなさい。

(1) $4.6 + 3.8$

(2) $8.6 - 5.8$

(3) $24 + 7.9$

(4) $36 - 9.4$

(5) $45.3 + 2.7$

(6) $30.1 - 6.7$

2 次の計算をしなさい。

(1) 3.4×2.1

(2) 0.2×0.4

(3) 2.5×0.6

(4) 8.2×5.6

小数のわり算

⏱ 目標時間 **15** 分　　解答は別冊の **P.004**

・45 ÷ 1.5 のように，÷ 小数の筆算では，**わる小数を 10 倍，100 倍，…して，整数にし，わられる数もおなじだけ 10 倍，100 倍，…してから，450 ÷ 15 のように，÷ 整数の形で計算する。**

・あまりがあるときは，もとの小数点の位置で表す。

例題 1 わり切れるまで計算をしなさい。 🚩**5年**

(1) 84 ÷ 1.4

(2) 2.21 ÷ 1.7

(3) 2.85 ÷ 5.7

(4) 9.5 ÷ 3.8

解説

(1)
```
         60.
  1.4.)840.
       84
        0
```

(2)
```
        1.3
  1.7.)2.2.1
       1 7
         5 1
         5 1
           0
```

(3)
```
        0.5
  5.7.)2.8.5
       2 8 5
           0
```

(4)
```
         2.5
  3.8.)9.5.
       7 6
       1 9 0
       1 9 0
           0
```

例題 2 商を $\frac{1}{10}$ の位まで求めて，あまりを書きなさい。 🚩**5年**

(1) 8.7 ÷ 5

(2) 0.7 ÷ 0.3

解説

(1)
```
       1.7
  5)8.7
    5
    3 7
    3 5
    0.2
```

(2)
```
          2.3
  0.3.)0.7.
       6
       1 0
         9
       0.0 1
```
あまりの小数点の位置は，もとの位置に合わせる

1 わり切れるまで計算をしなさい。

(1) 96 ÷ 1.6

(2) 2.52 ÷ 1.4

(3) 8.37 ÷ 9.3

(4) 4.5 ÷ 3.6

2 商を $\frac{1}{10}$ の位まで求めて，あまりを書きなさい。

(1) 5.4 ÷ 7

(2) 6.3 ÷ 2.4

(3) 0.7 ÷ 0.3

(4) 5 ÷ 9.1

3 次の商を，四捨五入で， $\frac{1}{10}$ の位までの概数で表しなさい。

(1) 7.1 ÷ 4.2

(2) 0.32 ÷ 2.2

速さ・時間・距離①

⏱ 目標時間 **15** 分　　解答は別冊の ➜ **P.004 ～ 005**

・「速さ」は1時間や1分間，1秒間で進む長さ（距離）で表す。
・1時間に60km進む速さは，時速60km（60km／時）と表す。
・速さ ＝ 距離 ÷ 時間

例題 1 次の問いに答えなさい。

(1) 3時間で210km進む列車の速さは，時速何kmですか。

(2) 3分間で450m走る自転車の速さは，分速何mですか。

(3) 35mを5秒間で飛ぶ鳥の速さは，秒速何mですか。

解説
(1) 速さ ＝ 距離 ÷ 時間より，210km ÷ 3時間 ＝ 70km／時（時速70km）
(2) 速さ ＝ 距離 ÷ 時間より，450m ÷ 3分 ＝ 150m／分（分速150m）
(3) 速さ ＝ 距離 ÷ 時間より，35m ÷ 5秒 ＝ 7m／秒（秒速7m）

例題 2 次の問いに答えなさい。

(1) 時速48kmは分速何mですか。

(2) 分速120mは秒速何mですか。

解説
(1) 48km ＝ 48000mだから，60分間で48000m進む。
　 48000m ÷ 60分 ＝ 800m／分（分速800m）
(2) 60秒間で120m進むから，120m ÷ 60秒 ＝ 2m／秒（秒速2m）

💡 時速 ÷ 60 ＝ 分速　　分速 ÷ 60 ＝ 秒速　　時速 ÷ 3600 ＝ 秒速
　 このとき，長さの単位に注意しよう。1km ＝ 1000m

1 次の問いに答えなさい。 🚩5年

(1) 6 時間で 540km 進む列車の速さは，時速何 km ですか。

(　　　　　　)

(2) 30 分間で 12km 走る自転車の速さは，分速何 m ですか。

(　　　　　　)

(3) 10 秒で 80m 飛ぶ鳥の速さは，秒速何 m ですか。

(　　　　　　)

(4) 490km を車で 7 時間で走りました。 この車の時速は何 km ですか。

(　　　　　　)

2 次の問いに答えなさい。 🚩5年

(1) 時速 180km は分速何 km ですか。

(　　　　　　)

(2) 分速 960m は秒速何 m ですか。

(　　　　　　)

(3) 時速 72km は秒速何 m ですか。

(　　　　　　)

(4) 100m を 10 秒で走る陸上選手の時速は何 km ですか。

(　　　　　　)

(5) 30000m を 1 時間 40 分で走る陸上選手の秒速は何 m ですか。

(　　　　　　)

速さ・時間・距離②

⏱ 目標時間 **15** 分　解答は別冊の ▶ **P.005**

・「距離」はある速さ（時速・分速・秒速）で，どれだけの時間進み続けたかをもとに計算する。
時速 60km で 2 時間進み続けると，60km／時 × 2 時間 ＝ 120km となる。
・**距離 ＝ 速さ × 時間**
・ある距離を，ある速さで走りきるのにかかる「時間」は，距離を速さでわり算して計算する。
180km を 60km／時で走る時間は，180km ÷ 60km／時 ＝ 3 時間となる。
・**時間 ＝ 距離 ÷ 速さ**

例題 1 次の問いに答えなさい。

(1) 時速 75km で走る列車が 2 時間で進む距離を求めなさい。

(2) 分速 80m で歩く人は，25 分間で何 m 進みますか。

解説
(1) 距離 ＝ 速さ × 時間より，　75km／時 × 2 時間 ＝ 150km
(2) 距離 ＝ 速さ × 時間より，　80m／分 × 25 分 ＝ 2000m

例題 2 次の問いに答えなさい。

(1) 360km の距離を時速 60km の速さの車で走ると何時間かかりますか。

(2) 秒速 340m で音は進みます。音が 1360m 先に伝わるのに何秒かかりますか。

解説
(1) 時間 ＝ 距離 ÷ 速さより，　360km ÷ 60km／時 ＝ 6 時間
(2) 時間 ＝ 距離 ÷ 速さより，　1360m ÷ 340m／秒 ＝ 4 秒

---

1 次の問いに答えなさい。 【5年】

(1) 4 時間，時速 80km の車で走りました。何 km 進みましたか。

(　　　　　)

(2) 秒速 6m で 15 秒走りました。何 m 進みましたか。

(　　　　　)

(3) 分速 150m で 30 分ジョギングすると何 m 走ったことになりますか。

(　　　　　)

2 次の問いに答えなさい。 【5年】

(1) 180km の距離を時速 45km の車で走ると何時間かかりますか。

(　　　　　)

(2) 400m を秒速 8m の速さで走ります。何秒かかりますか。

(　　　　　)

(3) 分速 250m で走る陸上選手は 10000m を何分で走りますか。

(　　　　　)

(4) 東京・大阪間 525km を時速 75km の車で走ります。何時間かかりますか。

(　　　　　)

DAY 1　DAY 2　DAY 3　DAY 4　DAY 5　DAY 6　DAY 7

中学校のさきどり　文字式の表し方

中学校では，文字を使った式は次のように表します。

・× の記号は書かない　　・÷ の記号は使わず，わり算は分数で表す

たとえば，時速 50km で x 時間走って進む道のりは，$50 \times x$ (km) $= 50x$ (km) となります。

また，時速 $y$km で 360km の道のりを進むのにかかる時間は，

$360 \div y$ (時間) $= \dfrac{360}{y}$ (時間) と表します。

1 次の計算をしなさい。 わり算はわり切れるまで計算をしなさい。

(1) 378 + 125

(2) 18.5 + 6.74

(3) 71 − (23 + 19)

(4) 92 − (54 − 17)

(5) 1005 − 249

(6) 35 − 7.09

(7) 245 × 78

(8) 12.5 × 0.36

(9) 975 ÷ 39

(10) 72 ÷ 57.6

2 商を一の位まで求めて，あまりを出しなさい。

(1) 121 ÷ 7

(2) 24 ÷ 1.8

3 次の商を四捨五入して，上から 2 けたの概数<ruby>概数<rt>がいすう</rt></ruby>で表しなさい。

(1) 67 ÷ 17

(2) 3.6 ÷ 4.7

4 次の問いに答えなさい。

(1) 3000m を 15 分で走ったときの分速は何 m ですか。

(   )

(2) 12km の距離<ruby>距離<rt>きょり</rt></ruby>を自転車に乗って 40 分で走りました。 この自転車の分速は何 m ですか。

(   )

(3) 分速 80m で歩く人が，30 分ウォーキングをしました。 何 m 歩いたことになりますか。

(   )

(4) 時速 40km の車で，家からショッピングモールまで 15 分かかりました。 家とショッピングモールは何 km 離<ruby>離<rt>はな</rt></ruby>れていますか。

(   )

(5) 時速 35km の船が，大阪・北九州間 455km を航行しています。 大阪を出て北九州に到着<ruby>到着<rt>とうちゃく</rt></ruby>するまでに何時間かかりますか。

(   )

(6) マラソン選手が秒速 5m で走っています。 1200m 走るのに何分かかりますか。

(   )

DAY 1 DAY 2 DAY 3 DAY 4 DAY 5 DAY 6 DAY 7

約数・倍数

⏱ 目標時間 **15** 分　　解答は別冊の **P.005**

・ある数をわりきる数を，その数の**約数**という。
・ある数に整数をかけてできる数を，その数の**倍数**という。

例題 1 次の問いに答えなさい。

(1) 4 の約数を全部書きなさい。

(2) 28 の約数を全部書きなさい。

(3) 13 の約数を全部書きなさい。

解説

(1) 4 をわりきることができる数は 1，2，4 の 3 つ。
(2) 28 をわりきることができる数は 1，2，4，7，14，28 の 6 つ。
(3) 13 をわりきることができる数は 1，13 の 2 つ。

例題 2 次の問いに答えなさい。

(1) 4 の倍数を小さい数から順に 3 つ書きなさい。

(2) 7 の倍数を小さい数から順に 3 つ書きなさい。

(3) 12 の倍数を小さい数から順に 3 つ書きなさい。

解説

(1) $4 \times 1 = 4$，$4 \times 2 = 8$，$4 \times 3 = 12$，……
　　よって，4 の倍数は小さい数から 3 つあげると，4，8，12。
(2) $7 \times 1 = 7$，$7 \times 2 = 14$，$7 \times 3 = 21$，……
　　よって，7 の倍数は小さい数から 3 つあげると，7，14，21。
(3) $12 \times 1 = 12$，$12 \times 2 = 24$，$12 \times 3 = 36$，……
　　よって，12 の倍数は小さい数から 3 つあげると，12，24，36。

DAY 1
DAY 2
DAY 3
DAY 4
DAY 5
DAY 6
DAY 7

1 次の問いに答えなさい。 5年

(1) 6 の約数を全部書きなさい。

（　　　　　　　　　　　　　　）

(2) 24 の約数を全部書きなさい。

（　　　　　　　　　　　　　　）

(3) 36 の約数を全部書きなさい。

（　　　　　　　　　　　　　　）

(4) 19 の約数を全部書きなさい。

（　　　　　　　　　　　　　　）

2 次の問いに答えなさい。 5年

(1) 6 の倍数を小さい数から順に 3 つ書きなさい。

（　　　　　　　　　　　　　　）

(2) 9 の倍数を小さい数から順に 3 つ書きなさい。

（　　　　　　　　　　　　　　）

(3) 13 の倍数を小さい数から順に 3 つ書きなさい。

（　　　　　　　　　　　　　　）

中学校の さきどり **素数と素因数分解**

1 と自分自身しか約数を持たない数を素数といい，自然数（0 より大きい整数）を素数の積で表すことを素因数分解といいます。　例　$12 = 2 \times 2 \times 3$　　$18 = 2 \times 3 \times 3$　　（2 や 3 は素数）

また，素因数分解の結果からは，最大公約数や最小公倍数を求められます。　例　12 と 18 の場合

最大公約数…共通する素数の積　$2 \times 3 = 6$

最小公倍数…素因数分解の結果から，共通する素数を 1 回分のぞいた積

　$(2 \times 2 \times 3) \times (2 \times 3 \times 3) = 2 \times 2 \times 3 \times 3 = 36$

公約数と約分・公倍数と通分

⏱ 目標時間 **15** 分 　　解答は別冊の **P.005 ～ 006**

復習ポイント

- 2つ以上の数に共通な約数を**公約数**といい，一番大きな公約数を**最大公約数**という。
- 2つ以上の数に共通な倍数を**公倍数**といい，一番小さい公倍数を**最小公倍数**という。
- $\frac{12}{18}$ の分数の分母と分子を最大公約数の6でわって $\frac{2}{3}$ とするような，分母を最も小さい分数にすることを**約分**するという。
- $\frac{1}{5} + \frac{1}{3}$ のように分母が異なる分数のたし算やひき算で，$\frac{3}{15} + \frac{5}{15}$ のように分母の最小公倍数の15で分母をそろえることを**通分**するという。

例題1 9と12の公約数を全部書き，最大公約数を答えなさい。

解説
> 9の約数……<u>1</u>, <u>3</u>, 9　　　　12の約数……<u>1</u>, 2, <u>3</u>, 4, 6, 12
> 9と12の公約数は1と3，最大公約数は3である。
> 💡 公約数は最大公約数の約数になっている。

例題2 2と3の公倍数を小さい数から3つ書き，最小公倍数を答えなさい。

解説
> 2の倍数……2, 4, <u>6</u>, 8, 10, <u>12</u>, 14, 16, <u>18</u>, ……
> 3の倍数……3, <u>6</u>, 9, <u>12</u>, 15, <u>18</u>, 21, ……
> 2と3の公倍数は小さい数から6, 12, 18，最小公倍数は6である。
> 💡 公倍数は最小公倍数の倍数になっている。

例題3 次の問いに答えなさい。

(1) $\frac{6}{18}$ を約分しなさい。　　　　(2) $\frac{2}{3}$ と $\frac{1}{4}$ を通分しなさい。

解説

(1) $\dfrac{\cancel{6}^{\,1}}{\cancel{18}_{\,3}} = \dfrac{1}{3}$

18と6の最大公約数は6
分母と分子をそれぞれ6でわる

(2) $\dfrac{2}{3} = \dfrac{8}{12}$ 　　$\dfrac{1}{4} = \dfrac{3}{12}$

×4 ／ ×4 　　×3 ／ ×3

3と4の最小公倍数は12
分母にかけた数を分子にもかける

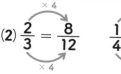

1 次の［　］の中の数の公約数を全部書き，最大公約数を答えなさい。 🚩5年

(1)［16，24］　　　公約数（　　　　　　　　）　　最大公約数（　　　　　）

(2)［18，30］　　　公約数（　　　　　　　　）　　最大公約数（　　　　　）

2 次の［　］の中の数の公倍数を小さい数から3つ書き，最小公倍数を答えなさい。 🚩5年

(1)［4，6］　　　公倍数（　　　　　　　　）　　最小公倍数（　　　　　）

(2)［9，18］　　　公倍数（　　　　　　　　）　　最小公倍数（　　　　　）

3 次の分数を約分しなさい。 🚩5年

(1) $\dfrac{6}{8}$（　　　　）　(2) $\dfrac{16}{24}$（　　　　）　(3) $\dfrac{15}{21}$（　　　　）　(4) $\dfrac{13}{39}$（　　　　）

4 次の［　］の中の分数を通分しなさい。 🚩5年

(1)［$\dfrac{2}{3}$，$\dfrac{3}{4}$］（　　　　　　　　）　　(2)［$\dfrac{1}{3}$，$\dfrac{3}{2}$］（　　　　　　　　）

(3)［$\dfrac{2}{3}$，$\dfrac{1}{9}$］（　　　　　　　　）　　(4)［$\dfrac{5}{6}$，$\dfrac{3}{4}$］（　　　　　　　　）

DAY 1　DAY 2　DAY 3　DAY 4　DAY 5　DAY 6　DAY 7

分数のたし算・ひき算

⏱ 目標時間 **15** 分　　解答は別冊の ▶ **P.006**

復習ポイント

- 分母が異なるときは，**通分**してから計算する。
- 計算した答えが約分できるときは，**約分**しておく。

例題 1　次の計算をしなさい。

(1) $\dfrac{2}{9} + \dfrac{5}{9}$

(2) $\dfrac{5}{7} - \dfrac{2}{7}$

(3) $\dfrac{2}{5} + \dfrac{1}{3}$

(4) $\dfrac{5}{9} - \dfrac{1}{3}$

解説

(1) $\dfrac{2}{9} + \dfrac{5}{9}$ 　分母が同じなので，そのまま分子をたし算

$= \dfrac{7}{9}$

(2) $\dfrac{5}{7} - \dfrac{2}{7}$ 　分母が同じなので，そのまま分子をひき算

$= \dfrac{3}{7}$

(3) $\dfrac{2}{5} + \dfrac{1}{3}$ 　分母が異なるので通分

$= \dfrac{6}{15} + \dfrac{5}{15}$ 　5と3の最小公倍数は15

$= \dfrac{11}{15}$

(4) $\dfrac{5}{9} - \dfrac{1}{3}$ 　分母が異なるので通分

$= \dfrac{5}{9} - \dfrac{3}{9}$ 　9と3の最小公倍数は9

$= \dfrac{2}{9}$

例題 2　次の計算をしなさい。

(1) $\dfrac{1}{5} + \dfrac{7}{15}$

(2) $\dfrac{1}{3} - \dfrac{1}{12}$

解説

(1) $\dfrac{1}{5} + \dfrac{7}{15}$ 　分母が異なるので通分

$= \dfrac{3}{15} + \dfrac{7}{15}$ 　5と15の最小公倍数は15

$= \dfrac{10}{15}$

$= \dfrac{2}{3}$ 　約分

(2) $\dfrac{1}{3} - \dfrac{1}{12}$ 　分母が異なるので通分

$= \dfrac{4}{12} - \dfrac{1}{12}$ 　3と12の最小公倍数は12

$= \dfrac{3}{12}$

$= \dfrac{1}{4}$ 　約分

1 次の計算をしなさい。

(1) $\dfrac{1}{5} + \dfrac{3}{5}$

(2) $\dfrac{5}{9} - \dfrac{2}{9}$

(3) $\dfrac{2}{7} + \dfrac{1}{2}$

(4) $1\dfrac{1}{4} - \dfrac{2}{3}$

(5) $\dfrac{5}{6} + \dfrac{2}{5}$

(6) $\dfrac{4}{5} - \dfrac{3}{8}$

(7) $\dfrac{3}{16} + \dfrac{3}{8}$

(8) $\dfrac{8}{9} - \dfrac{2}{3}$

(9) $\dfrac{5}{12} + \dfrac{1}{20}$

(10) $3\dfrac{2}{7} - 2\dfrac{1}{3}$

2 次の計算をしなさい。

(1) $\dfrac{1}{6} + \dfrac{3}{10} + \dfrac{2}{15}$

(2) $\dfrac{1}{2} + \dfrac{4}{9} + \dfrac{5}{18}$

(3) $\dfrac{5}{12} - \dfrac{1}{8} + \dfrac{2}{3}$

(4) $\dfrac{17}{20} + \dfrac{3}{4} - \dfrac{2}{5}$

分数のかけ算・わり算

⏱ 目標時間 **15** 分　　解答は別冊の **P.006**

- ・分数のかけ算は，分子同士，分母同士をかけ合わせる。
- ・分数のわり算は，わる数を**逆数**にしてからかけ合わせる。
- ・計算した答えが約分できるときは，約分しておく。

例題1 次の計算をしなさい。

(1) $\dfrac{3}{7} \times 2$　　　　　　　　(2) $\dfrac{3}{5} \times \dfrac{1}{4}$

解説

(1) $\dfrac{3}{7} \times 2$

$= \dfrac{3 \times 2}{7}$　　分数 × 整数の計算は，分母はそのままで，分子に整数をかける

$= \dfrac{6}{7}$

(2) $\dfrac{3}{5} \times \dfrac{1}{4}$

$= \dfrac{3 \times 1}{5 \times 4}$　　分数のかけ算は，分子同士，分母同士をかけ合わせる

$= \dfrac{3}{20}$

例題2 次の計算をしなさい。

(1) $\dfrac{2}{5} \div 3$　　　　　　　　(2) $\dfrac{7}{9} \div \dfrac{5}{6}$

解説

(1) $\dfrac{2}{5} \div 3$

$= \dfrac{2}{5 \times 3}$　　分数 ÷ 整数のときは，分子はそのままで分母に整数をかける

$= \dfrac{2}{15}$

(2) $\dfrac{7}{9} \div \dfrac{5}{6}$

分数のわり算は，わる数を逆数にしてからかけ合わせる

$= \dfrac{7}{9} \times \dfrac{6}{5}$

$= \dfrac{7 \times \overset{2}{6}}{\underset{3}{9} \times 5}$　　約分ができるときは，計算のとちゅうで約分するとよい

$= \dfrac{14}{15}$

1 次の計算をしなさい。 6年

(1) $\dfrac{1}{7} \times 4$

(2) $\dfrac{2}{10} \times 5$

(3) $\dfrac{3}{8} \times \dfrac{2}{5}$

(4) $\dfrac{7}{15} \times \dfrac{5}{14}$

(5) $\dfrac{9}{16} \times \dfrac{8}{3}$

(6) $\dfrac{13}{6} \times \dfrac{9}{26}$

(7) $\dfrac{11}{18} \times \dfrac{7}{5} \times \dfrac{6}{22}$

(8) $\dfrac{3}{14} \times \dfrac{21}{5} \times \dfrac{10}{9}$

2 次の計算をしなさい。 6年

(1) $\dfrac{1}{4} \div 2$

(2) $\dfrac{3}{5} \div 6$

(3) $\dfrac{7}{8} \div \dfrac{2}{3}$

(4) $\dfrac{9}{25} \div \dfrac{3}{5}$

(5) $\dfrac{1}{8} \div \dfrac{7}{4}$

(6) $\dfrac{6}{5} \div \dfrac{2}{15}$

(7) $\dfrac{15}{4} \div \dfrac{7}{2} \div \dfrac{5}{21}$

(8) $\dfrac{5}{18} \div \dfrac{7}{6} \div \dfrac{10}{9}$

DAY 1
DAY 2
DAY 3
DAY 4
DAY 5
DAY 6
DAY 7

いろいろな計算の順序①

⏱ 目標時間 **15** 分　　解答は別冊の ▶ **P.006**

復習ポイント

- たし算・ひき算と，かけ算・わり算がまじった計算では，かけ算・わり算から先に計算する。
- （　　）がある場合は，（　　）の中から先に計算する。
- 交換の法則…○ ＋ △ ＝ △ ＋ ○
　　　　　　　　○ × △ ＝ △ × ○

たし算とかけ算では，数を入れ替えて計算しても答えは同じ。
- 分配の法則…(○ ＋ △) × □ ＝ ○ × □ ＋ △ × □
　　　　　　　　(○ － △) × □ ＝ ○ × □ － △ × □
　　　　　　　　○ × (△ ＋ □) ＝ ○ × △ ＋ ○ × □
　　　　　　　　○ × (△ － □) ＝ ○ × △ － ○ × □

（　　）の中がたし算・ひき算で，（　　）の答えをかけ算するとき，式を変えることができる。

例題1 次の計算をしなさい。 4年

(1) $76 - 13 \times 3$

(2) $8 \times (52 - 37) - 48$

解説

(1) $76 - \underline{13 \times 3}$　　かけ算を先に計算

　　$= 76 - 39$

　　$= 37$

(2) $8 \times \underline{(52 - 37)} - 48$　　（　）の中を先に計算

　　$= \underline{8 \times 15} - 48$　　かけ算を先に計算

　　$= 120 - 48$

　　$= 72$

例題2 次の計算をしなさい。 4年 5年

(1) 105×7

(2) $3.2 \times 25 - 2.8 \times 25$

解説

(1) 105×7

　　$= (100 + 5) \times 7$　　105を(100 + 5)とみる

　　$= 100 \times 7 + 5 \times 7$　　(○ ＋ △) × □ ＝ ○ × □ ＋ △ × □

　　$= 700 + 35$

　　$= 735$

(2) $3.2 \times 25 - 2.8 \times 25$

　　$= (3.2 - 2.8) \times 25$

　　$= 0.4 \times 25$　　(○ － △) × □ ＝ ○ × □ － △ × □ を右から左に向かって使う

　　$= 10$

1 次の計算をしなさい。 🏴4年 🏴5年 🏴6年

(1) $81 - 3 \times 8$

(2) $(34 + 5 \times 13) \div 11$

(3) $42 - (55 + 17) \div 12$

(4) $1.9 \times 7 - 1.6 \times 5 + 1.7$

(5) $1.5 + 0.4 \times 12 - 3.2$

(6) $4.5 \div (5.2 - 3.7) + 1.9$

(7) $\dfrac{7}{9} + \dfrac{5}{6} \div \dfrac{2}{3}$

(8) $\dfrac{2}{13} \times \left(\dfrac{3}{4} + \dfrac{1}{3} \right)$

2 次の計算をしなさい。 🏴4年 🏴5年 🏴6年

(1) $5 \times (84 - 36)$

(2) $67 \times 8 - 42 \times 8$

(3) 51×23

(4) $5.8 \times 0.6 - 2.3 \times 0.6$

(5) $\dfrac{1}{2} \times \dfrac{6}{7} + \dfrac{2}{3} \times \dfrac{6}{7}$

(6) $\left(\dfrac{3}{4} + \dfrac{3}{5} \right) \div \dfrac{3}{20}$

いろいろな計算の順序②

⏱ 目標時間 **15** 分　　解答は別冊の **P.006 ～ 007**

・**結合の法則**…$(○ + △) + □ = ○ + (△ + □)$

（計算のきまり）　$(○ × △) × □ = ○ × (△ × □)$

３個以上の数をすべてたし算だけしたり，かけ算だけしたりする
ときは，式のどこから計算しても答えは同じになる。

・**分数の計算の工夫**…$(○ + △) ÷ \dfrac{▽}{□} = ○ × \dfrac{□}{▽} + △ × \dfrac{□}{▽}$

例題 1 次の計算をしなさい。

(1) $(74 + 35) + 65$　　　　　　(2) $17 × 6 × 5$

解説

(1) $(74 + 35) + 65$　$\begin{array}{c}(○ + △) + □ \\ = ○ + (△ + □)\end{array}$

　　$= 74 + (35 + 65)$

　　$= 74 + 100$

　　$= 174$

(2) $17 × 6 × 5$　$\begin{array}{c}(○ × △) × □ \\ = ○ × (△ × □)\end{array}$

　　$= 17 × (6 × 5)$

　　$= 17 × 30$

　　$= 510$

例題 2 計算のきまりを使って，くふうして計算をしなさい。 4年 5年

(1) $42 + 19 + 58 + 81$　　　　(2) $1.3 × 8 × 0.25$

解説

(1) $42 + 19 + 58 + 81$　19と58を交換

　　$= 42 + 58 + 19 + 81$

　　$= (42 + 58) + (19 + 81)$

　　$= 100 + 100$　　（ ）の中の数を先にたす

　　$= 200$

(2) $1.3 × 8 × 0.25$　8 × 0.25を先に計算

　　$= 1.3 × (8 × 0.25)$

　　$= 1.3 × 2$

　　$= 2.6$

 10 や 100 など，計算しやすい数ができる組み合わせをみつけよう。
小数や分数が混ざっているときは，計算の順序をくふうすると整数ができる
場合がある。

1 次の計算をしなさい。 4年 5年

(1) $(169 + 352) + 648$

(2) $500 - 9 \times 8 \times 5$

(3) $17 \times 16 \times 25$

(4) $3.6 + 4.7 + 2.3$

(5) $2.9 \times 7.5 \times 0.4$

(6) $5.7 \times 0.2 \times 3.5$

2 計算のきまりを使って，くふうして計算をしなさい。 4年 5年 6年

(1) $309 + 543 + 359 + 457 + 691$

(2) $32 \times 12 - 27 \times 12$

(3) $7.2 - 5.6 \times 4 \times 0.25$

(4) 798×25

(5) $0.4 \times (37.5 - 2.75)$

(6) $\dfrac{1}{4} \times \dfrac{7}{13} + \dfrac{5}{6} \times \dfrac{7}{13}$

(7) $\dfrac{5}{8} \times \dfrac{9}{7} - \dfrac{3}{16} \times \dfrac{9}{7}$

(8) $\left(\dfrac{5}{4} + \dfrac{5}{6}\right) \div \dfrac{5}{12}$

DAY 1 DAY 2 DAY 3 DAY 4 DAY 5 DAY 6 DAY 7

分数と小数の混ざった計算

 目標時間 **15** 分　解答は別冊の **P.007**

・小数を分数に直してから，分数同士の計算をする。

$$0.24 + \frac{3}{5} = \frac{24}{100} + \frac{3}{5} = \frac{6}{25} + \frac{15}{25} = \frac{21}{25}$$

・簡単に計算できそうな場合は，分数を小数に直して計算してもいい。

$$0.13 + \frac{1}{4} = 0.13 + 0.25 = 0.38$$

例題 1 次の計算をしなさい。

(1) $\frac{2}{5} + 0.16$

(2) $0.7 - \frac{4}{15}$

解説

(1) $\frac{2}{5} + 0.16$ 　0.16 を分数に直す（約分もする）　$\frac{16}{100} = \frac{4}{25}$

$= \frac{2}{5} + \frac{16}{100}$

$= \frac{10}{25} + \frac{4}{25}$ 　通分してたし算　小数にそろえて 0.4 + 0.16 でも OK

$= \frac{14}{25}$ 　(0.56)

(2) $0.7 - \frac{4}{15}$ 　0.7 を分数に直す

$= \frac{7}{10} - \frac{4}{15}$

$= \frac{21}{30} - \frac{8}{30}$ 　通分してひき算

$= \frac{13}{30}$

 小数第一位 $= \frac{1}{10}$ の位，小数第二位 $= \frac{1}{100}$ の位。

例題 2 次の計算をしなさい。

(1) $0.35 + \frac{1}{5}$

(2) $\frac{3}{10} - 0.13$

解説

(1) $0.35 + \frac{1}{5}$ 　$\frac{1}{5} = 0.2$　簡単な小数になるので小数にそろえる

$= 0.35 + 0.2$

$= 0.55$

(2) $\frac{3}{10} - 0.13$ 　$\frac{3}{10} = 0.3$　簡単な小数になるので小数にそろえる

$= 0.3 - 0.13$

$= 0.17$

 分母が 10 や 100 のときだけでなく，2 や 4，5，20，25 など（10，100，1000，…の約数）の場合も，簡単な小数になりやすい。

1 次の計算をしなさい。 5年 6年

(1) $\dfrac{4}{7} + 0.3$

(2) $0.45 - \dfrac{3}{8}$

(3) $0.24 \times \dfrac{5}{12}$

(4) $3.6 \div \dfrac{9}{11}$

2 次の計算をしなさい。 5年 6年

(1) $0.36 + \dfrac{2}{5}$

(2) $\dfrac{7}{5} - 0.4$

(3) $0.6 \times \dfrac{3}{2}$

(4) $\dfrac{3}{10} \div 0.75$

3 次の計算をしなさい。 5年 6年

(1) $1 - \dfrac{5}{7} \times 0.6$

(2) $\left(\dfrac{3}{4} + 1.25\right) \div \dfrac{4}{7}$

(3) $3.75 - \dfrac{5}{6} \times 0.4$

(4) $0.3 + 1.36 \div \dfrac{4}{5}$

(5) $\dfrac{5}{16} \div 0.25 - \dfrac{7}{12}$

(6) $4.7 \times \dfrac{5}{12} + 5.3 \times \dfrac{5}{12}$

Ⅰ 次の問いに答えなさい。

(1) 36 と 90 の最大公約数を求めなさい。　　（　　　　　　　　）

(2) 48 と 72 の最大公約数を求めなさい。　　（　　　　　　　　）

(3) 16 と 24 の最小公倍数を求めなさい。　　（　　　　　　　　）

(4) 18 と 30 の最小公倍数を求めなさい。　　（　　　　　　　　）

2 次の計算をしなさい。

(1) $\dfrac{1}{6} + \dfrac{4}{9}$

(2) $\dfrac{7}{8} - \dfrac{1}{4}$

(3) $\dfrac{2}{9} + \dfrac{3}{4} + \dfrac{1}{12}$

(4) $\dfrac{5}{8} - \dfrac{1}{3} + \dfrac{7}{12}$

(5) $\dfrac{11}{24} \times \dfrac{9}{22}$

(6) $\dfrac{6}{25} \div \dfrac{8}{15}$

(7) $\dfrac{21}{26} \times \dfrac{13}{12} \times \dfrac{18}{7}$

(8) $\dfrac{9}{25} \div \dfrac{8}{15} \times \dfrac{16}{3}$

3 次の計算をしなさい。

(1) $74 + 51 - 23 \times 2$

(2) $(26 + 5 \times 38) \div 18$

(3) $5.7 \times 2.9 + 4.3 \times 2.9$

(4) $8 \times 26 \times 5 - 1000$

(5) $\dfrac{4}{5} \times \dfrac{11}{21} + \dfrac{1}{4} \times \dfrac{11}{21}$

(6) $\left(\dfrac{7}{3} + \dfrac{7}{8}\right) \div \dfrac{7}{24}$

4 次の計算をしなさい。

(1) $0.35 + \dfrac{2}{5} + 2.3$

(2) $\dfrac{1}{3} + 1.25 + \dfrac{3}{8}$

(3) $0.57 \times \dfrac{25}{9} - \dfrac{3}{4}$

(4) $0.32 \times \dfrac{7}{8} + \dfrac{4}{5}$

(5) $\dfrac{3}{4} \times 5.3 + 4.7 \times \dfrac{3}{4}$

(6) $3.4 \div \dfrac{3}{7} + 6.6 \div \dfrac{3}{7}$

(7) $\left(7.5 - \dfrac{5}{6}\right) \div 0.25$

(8) $\left(\dfrac{16}{25} + 2.56\right) \div 12.8$

DAY 1　DAY 2　DAY 3　DAY 4　DAY 5　DAY 6　DAY 7

重さ・液量（かさ）

 目標時間 **15** 分　解答は別冊の P.009

例題 1 次の問いに答えなさい。

(1) 1円玉 4500 枚の重さは何 kg ですか。

(2) お風呂（ふ ろ）に 180L の水が入っています。この水は何 dL ですか。

解説

(1) 1円玉は 1 枚が 1g なので，4500 枚は 4500g になる。また，1kg ＝ 1000g なので，4500g ＝ 4.5kg

(2) 1L ＝ 10dL なので，180L ＝ 1800dL

例題 2 次の問いに答えなさい。

(1) 40g の 1000 倍は何 kg ですか。

(2) 70L の $\frac{1}{100}$ は何 dL ですか。

解説

(1) 1g の 1000 倍の重さが 1kg なので，40g を 1000 倍した重さは，40kg になる。

(2) 1L ＝ 10dL なので，70L ＝ 700dL　700dL を $\frac{1}{100}$ すると，700dL $\times \frac{1}{100}$ ＝ 7dL

$70L \times \frac{1}{100} = 0.7L$ より，0.7L ＝ 7dL としてもよい。

1000g ＝ 1kg ⟷ 1g ＝ 0.001kg
1000mL ＝ 10dL ＝ 1L ⟷ 100mL ＝ 1dL ＝ 0.1L ⟷ 1mL ＝ 0.01dL ＝ 0.001L

1 次の □ の中に当てはまる数を書きなさい。

(1) 15kg = [　　　　] g

(2) 4500g = [　　　　] kg

(3) 2.7g = [　　　　] mg

(4) 5t = [　　　　] kg

(5) 7L = [　　　　] dL

(6) 300dL = [　　　　] L

(7) 600mL = [　　　　] dL

(8) 2800L = [　　　　] kL

2 次の問いに答えなさい。

(1) 70g の 1000 倍は何 kg ですか。

(　　　　　　　　)

(2) 45mg の 100 倍は何 g ですか。

(　　　　　　　　)

(3) 3t の $\dfrac{1}{100}$ は何 kg ですか。

(　　　　　　　　)

(4) 630g の 100 倍は何 kg ですか。

(　　　　　　　　)

(5) 27dL の 1000 倍は何 L ですか。

(　　　　　　　　)

(6) 5kL の $\dfrac{1}{1000}$ は何 L ですか。

(　　　　　　　　)

長さ・面積・体積

 目標時間 **15** 分　解答は別冊の P.009

 **・長さ・面積・体積の換算表**

長さ	10mm = 1cm	100cm = 1m	1000m = 1km
面積	100mm² = 1cm²	10000cm² = 1m²	1000000m² = 1km²
	100m² = 1a	100a = 1ha	100ha = 1km²
体積	1000mm³ = 1cm³	1000000cm³ = 1m³	1000000000m³ = 1km³

例題 1 次の問いに答えなさい。

(1) 10m は何 cm ですか。

(2) 10m² は何 cm² ですか。

(3) 10m³ は何 cm³ ですか。

解説
(1) 1m = 100cm より， 10m = 1000cm
(2) 1m² = (100cm × 100cm =)10000cm² より， 10m² = 100000cm²
(3) 1m³ = (100cm × 100cm × 100cm =)1000000cm³ より，
　　10m³ = 10000000cm³

例題 2 次の問いに答えなさい。

(1) 350a は何 ha ですか。

(2) 6500cm² は何 m² ですか。

解説
(1) 1ha = 100a より， 350a = 3.5ha
(2) 1m² = 10000cm² より， 6500cm² = 0.65m²

1 次の □ の中に当てはまる数を書きなさい。 2年 3年 4年 5年

(1) 7km = □ m

(2) 2.5m = □ cm

(3) 400cm² = □ mm²

(4) 300m² = □ a

(5) 60a = □ ha

(6) 1200000m² = □ km²

(7) 10000a = □ km²

(8) 120000cm³ = □ m³

2 次の問いに答えなさい。 2年 3年 4年 5年

(1) 0.8km は何 cm ですか。

( )

(2) 46cm は何 m ですか。

( )

(3) 0.25ha は何 a ですか。

( )

(4) 25a は何 m² ですか。

( )

(5) 2.5km² は何 ha ですか。

( )

(6) 5m³ は何 cm³ ですか。

( )

単位量あたりの大きさ

⏱ 目標時間 **15** 分　　解答は別冊の ▶ **P.009**

- 「1km² あたり何人の人がいる」「ガソリン 1L あたり何 km 走れる車」など，単位量あたりの大きさを比べるには，わり算を使う。
- 1km² あたりの人口の混み具合を人口密度という。

例題1 A市の人口は 180932 人で，面積は 124km² です。A市の人口密度を四捨五入して整数で求めなさい。 **5年**

解説 人口密度は，面積 1km² あたりの人口の混み具合のことなので，人口を面積でわって，180932 人 ÷ 124km² = 1459.1… より，約 1459 人。

例題2 ひき肉 100g の値段は 98 円です。このひき肉 250g の値段はいくらになりますか。ただし，消費税は考えないこととします。 **5年**

解説 100g の値段が 98 円なので，このひき肉 1g あたりの値段は，
98 円 ÷ 100g = 0.98 円
250g の値段は，0.98 円 × 250g = 245 円

250g は 100g の 2.5 倍だから，98 × 2.5 = 245（円）と考えてもよい。

例題3 Aさんの車は，20L のガソリンで 360km 走れます。Bさんの車は，25L のガソリンで 375km 走れます。どちらの車の方が少ないガソリンで長い距離を走れますか。 **5年**

解説 ガソリン 1L あたりに走る距離（走る距離 ÷ ガソリンの量）の長い方が，少ないガソリンで長い距離を走れる。
Aさんの車が，ガソリン 1L あたりに走る距離は，
360km ÷ 20L = 18km
Bさんの車が，ガソリン 1L あたりに走る距離は，
375km ÷ 25L = 15km
よって，Aさんの車の方が少ないガソリンで長い距離を走ることができる。

1 ガソリン 1L あたり 9km 走れる自動車があります。 **5年**

(1) この自動車は，20L のガソリンで何 km 走りますか。

(　　　　　　　　)

(2) 6km 離れたスーパーに，この車で買い物に行って帰ってきました。このとき使ったガソリンは何 L ですか。四捨五入して $\frac{1}{100}$ の位まで求めなさい。

(　　　　　　　　)

(3) 30L で 210km 走れるスポーツカーと比べて，どちらの方が少ないガソリンで長い距離を走れますか。

(　　　　　　　　)

2 右の表は，A さんと B さんの畑の面積と今年の小麦の収穫量を表したものです。 **5年**

	面積(a)	小麦の収穫量(kg)
Aさんの畑	34	1428
Bさんの畑	512	18432

(1) A さんの畑では，1a あたり小麦は何 kg 収穫できましたか。

(　　　　　　　　)

(2) B さんの畑では，1a あたり小麦は何 kg 収穫できましたか。

(　　　　　　　　)

(3) 1a あたりの収穫量を比べると，どちらの畑の方が多く収穫できたといえますか。

(　　　　　　　　)

3 A 町の面積は 151km² で，人口は 18742 人です。 **5年**

(1) A 町の人口密度を四捨五入して整数で求めなさい。

(　　　　　　　　)

(2) B 町の人口密度は A 町の半分で，B 町の人口は 13258 人です。B 町の面積は何 km² ですか。四捨五入して整数で求めなさい。

(　　　　　　　　)

平均

 目標時間 **15** 分　解答は別冊の **P.009 ～ 010**

・ばらついている数を，同じ数や同じ量になるようにならしたもの
　を平均という。
・平均 ＝ 合計 ÷ 個数

例題 1 にんじん 5 本の重さをはかると，それぞ
れ右のようになりました。このにんじん
5 本の平均の重さを求めなさい。

183g　166g　175g　194g　172g

解説 (183g ＋ 166g ＋ 175g ＋ 194g ＋ 172g) ÷ 5 本 ＝ 178g

例題 2 右の表は，6 年生の先週 5 日間
の欠席者の人数を表しています。
欠席者の人数は，1 日に平均何
人か求めなさい。

6 年生の先週の欠席者の人数

曜日	月	火	水	木	金
人数（人）	2	0	3	6	4

解説 (2 人 ＋ <u>0 人</u> ＋ 3 人 ＋ 6 人 ＋ 4 人) ÷ <u>5 日</u> ＝ 3 人

 数字が 0 のときも個数として数える。

例題 3 A さんと B さんの計算テストの平均点は 78 点です。C さんの点数を加えた
ときの平均点は，81 点になります。C さんの点数は何点ですか。

解説 平均 ＝ 合計 ÷ 個数なので，平均 × 個数 ＝ 合計と考えることができる。
A さんと B さんの合計点は，78 点 × 2 ＝ 156 点
C さんを加えたときの 3 人の合計点は，81 点 × 3 ＝ 243 点
よって，C さんの点数は，243 点 － 156 点 ＝ 87 点

1 ゆかさんは1か月（30日）で8.4Lの牛乳を飲みました。1日平均何mL飲みましたか。

(　　　　　)

2 まなさんが，去年1年間に読んだ本は96冊でした。

(1) 平均して，1か月あたり何冊読みましたか。

(　　　　　)

(2) 実際には，夏休みがあった8月に19冊読んでいました。8月以外の月では，平均して1か月あたり何冊読みましたか。

(　　　　　)

3 Aさん，Bさん，Cさんの3人の国語のテストの平均点が83点でした。

(1) Dさんの点数は91点でした。Dさんを加えた4人の平均点は何点ですか。

(　　　　　)

(2) さらに，Eさんの国語のテストの点数を加えると，5人の平均点は84点になります。Eさんの点数は何点でしたか。

(　　　　　)

4 りんご5個の重さをはかってノートに記録し，平均の重さを計算しました。しかし，ノートをよごしてしまったので，1個だけりんごの重さがわからなくなってしまいました。このりんごの重さは何gですか。

(　　　　　)

りんご5個の重さ

	1	2	3	4	5	平均
重さ	270g	282g	●	302g	285g	287g

中学校のさきどり **基準値を変えた平均の求め方**

平均を求めるときに，ある基準値より多い分を計算する方法があります。
たとえば，5個のみかんがあり，重さが

112　　　122　　　116　　　115　　　120　　　(g)

であるとき，110を基準にすると，平均は

$$110 + \frac{2 + 12 + 6 + 5 + 10}{5} = 110 + \frac{35}{5} = 117 \text{ (g) と求められる。}$$

テスト 3

目標時間 15分

解答は別冊の P.010

1 次の ☐ の中に当てはまる数を書きなさい。

(1) 7.8kg = ☐ g

(2) 4080kg = ☐ t

(3) 0.032g = ☐ mg

(4) 65dL = ☐ L

(5) 6300L = ☐ kL

(6) 0.28m = ☐ cm

(7) 5.2km² = ☐ ha

(8) 0.8cm³ = ☐ mm³

2 次の問いに答えなさい。

(1) 80mg の 100 倍は何 g ですか。 （　　　）

(2) 470dL の $\frac{1}{100}$ は何 mL ですか。 （　　　）

(3) 54m² の 1000 倍は何 ha ですか。 （　　　）

3 太郎くんの家では，じゃがいもを栽培しています。去年は，15a の畑で 1620kg の収穫がありました。今年は 18a に畑を広げて栽培したところ，1a あたり 120kg 収穫できました。

(1) 去年の 1a あたりの収穫量は何 kg ですか。

(2) 去年と今年では，1a あたりで，どちらの方が多く収穫できましたか。 （　　　）

(3) 今年の全体の収穫量は何 kg ですか。 （　　　）

DAY 3-5

DAY 3 TEST

— 046 —

4 ともこさんの小学校の教室は，縦が 7m で，横が 9m です。ともこさんのクラスには，ともこさんをふくめて 31 人の児童がいます。あかりさんの小学校の教室は，縦が 8m で，横が 8m です。あかりさんのクラスには，あかりさんをふくめて 34 人の児童がいます。

(1) ともこさんのクラスでは，1 人あたり何 m² の広さがありますか。四捨五入して，$\frac{1}{10}$ の位まで求めなさい。

(   )

(2) あかりさんのクラスでは，1 人あたり何 m² の広さがありますか。四捨五入して，$\frac{1}{10}$ の位まで求めなさい。

(   )

(3) ともこさんのクラスとあかりさんのクラスとでは，どちらの方が混んでいるといえますか。

(   )

5 ななみさんの 1 回から 4 回までの漢字テストの平均点は，85 点でした。5 回から 7 回までの平均点は 87 点でした。

(1) 1 回から 7 回までの平均点は何点ですか。四捨五入して，$\frac{1}{10}$ の位まで求めなさい。

(   )

(2) 8 回目のテストで何点をとると，1 回から 8 回までの平均点が 87 点になりますか。

(   )

(3) 8 回目から 10 回目までのテストで，合計何点とれば，1 回から 10 回までの平均点が 88 点になりますか。

(   )

割合①

⏱ 目標時間 **15** 分　　解答は別冊の **P.010**

> ・ある量をもとにして，比べる量がもとにする量の何倍にあたるか
>   を表した数を「割合」という。
> ・「割合」
>   **割合 ＝ 比べる量 ÷ もとにする量**
>   クラス 40 人（もとにする量）のうち，○倍（割合）にあたる 24 人
>   （比べる量）が男子　24 人 ÷ 40 人 = 0.6　答え 0.6 倍
> ・「比べる量」
>   **比べる量 ＝ もとにする量 × 割合**
>   クラス 40 人（もとにする量）のうち，0.6 倍（割合）にあたる△人
>   （比べる量）が男子　40 人 × 0.6 倍 = 24 人　答え 24 人

例題1 38 人のクラスで，めがねをしている人は 9 人います。めがねをしている人の数は，クラス全体の人数の何倍ですか。四捨五入して $\frac{1}{100}$ の位まで求めなさい。🚩5年

解説

めがねをしている人の数が比べる量，クラス全体の人数がもとにする量になる。
割合 ＝ 比べる量 ÷ もとにする量より，
9 人 ÷ 38 人 = 0.236…。よって，0.24 倍。

めがねをしている人 9 人
クラス全体 38 人

例題2 先月は，おこづかい 1200 円のうち，0.4 倍のお金を，飲み物を買うために使いました。先月飲み物を買うために使ったお金はいくらですか。🚩5年

解説

おこづかい 1200 円（もとにする量）に対して，0.4 倍（割合）にあたるお金（比べる量）を，飲み物を買うために使っている。
比べる量 ＝ もとにする量 × 割合より，
1200 円 × 0.4 倍 = 480 円

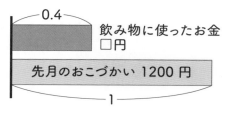

0.4
飲み物に使ったお金 □円
先月のおこづかい 1200 円

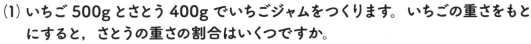

1 次の問いに答えなさい。 **5年**

(1) いちご 500g とさとう 400g でいちごジャムをつくります。いちごの重さをもとにすると，さとうの重さの割合はいくつですか。

( )

(2) 子どもが 52 人，大人が 46 人います。

① 子どもの人数をもとにすると，大人の人数の割合はいくつですか。四捨五入して，$\frac{1}{10}$ の位まで求めなさい。

( )

② 大人の人数をもとにすると，子どもの人数の割合はいくつですか。四捨五入して，$\frac{1}{10}$ の位まで求めなさい。

( )

(3) 6 年生 83 人のうち，18 人がサッカークラブに入部を希望しています。サッカークラブに入部を希望している人は，6 年生全体の何倍ですか。四捨五入して，$\frac{1}{10}$ の位まで求めなさい。

( )

2 次の問いに答えなさい。 **5年**

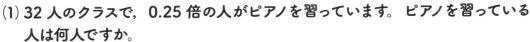

(1) 32 人のクラスで，0.25 倍の人がピアノを習っています。ピアノを習っている人は何人ですか。

( )

(2) レタス 1 玉の値段が，先週は 220 円でしたが，今週は先週の 0.85 倍の値段でした。今週のレタス 1 玉の値段は何円ですか。

( )

(3) 手打ちうどんをつくるために小麦粉 800g に対して，小麦粉の 0.45 倍の重さの水を加えます。水は何 g 必要ですか。

( )

割合②

⏱ 目標時間 **15** 分　　解答は別冊の ▶ P.010 ～ 011

・「もとにする量」
　もとにする量 ＝ 比べる量 ÷ 割合
　クラス□人（もとにする量）のうち，0.6 倍（割合）にあたる 24
　人（比べる量）が男子　24 人 ÷ 0.6 倍 ＝ 40 人　答え 40 人

例題1 あるクラスで，楽器を習ったことがある人は 21 人います。これは，クラス全体の 0.6 倍にあたります。クラス全体の人数は何人ですか。 5年

解説

クラス全体の人数（もとにする量）のうち，0.6 倍（割合）にあたる 21 人（比べる量）が，楽器を習ったことがある人である。
もとにする量 ＝ 比べる量 ÷ 割合
なので，21 人 ÷ 0.6 倍 ＝ 35 人

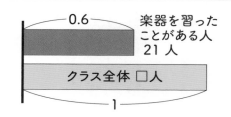

0.6

楽器を習ったことがある人
21 人

クラス全体 □人

1

例題2 さくらさんの身長は 144cm です。これは，さくらさんの妹の身長の 1.2 倍にあたります。さくらさんの妹の身長は何 cm ですか。 5年

解説

さくらさんの妹の身長（もとにする量）に対して，さくらさんの身長 144cm（比べる量）が，1.2 倍（割合）である。
もとにする量 ＝ 比べる量 ÷ 割合
なので，144cm ÷ 1.2 倍 ＝ 120cm

1.2

さくらさん 144cm

さくらさんの妹 □cm

1

(1) かりんさんの学校で, 今朝の朝食にパンを食べてきた人は 252 人いました。これは, 全児童数の 0.4 倍にあたります。かりんさんの学校の児童数は何人ですか。

（　　　　　　　　）

(2) マラソンの練習で今日は 850m 走りました。これは, 昨日走った距離の 1.7 倍にあたります。昨日走った距離は何 m ですか。

（　　　　　　　　）

(3) 本を 36 ページ読みました。これは, 本全体の 0.12 倍にあたります。この本は全部で何ページありますか。

（　　　　　　　　）

(4) 1 冊 630 円の本を買いました。これは, 持っていたお金の 0.3 倍にあたります。はじめに持っていたお金は何円ですか。

（　　　　　　　　）

(5) あるクラスで, フルーツの中でメロンが一番好きな人は 12 人いました。

① フルーツの中でメロンが一番好きな人の人数は, クラス全体の 0.4 倍にあたります。クラス全体の人数は何人ですか。

（　　　　　　　　）

② 同じクラスで, フルーツの中でいちごが一番好きな人の人数は, 18 人いました。いちごが一番好きな人の人数は, クラス全体の何倍ですか。

（　　　　　　　　）

百分率と歩合

⏱ 目標時間 **15** 分　　解答は別冊の→ **P.011**

- 「百分率」　0.01 倍を 1 パーセントといい，1% と書く割合の表し方。
  0.01 倍 = 1%，0.1 倍 = 10%，1 倍 = 100%
- 「歩合」　日本で昔から使われている割合の表し方。
  0.1 倍（10%）= 1 割，0.01 倍（1%）= 1 分，0.001 倍（0.1%）= 1 厘

例題1 次の小数で表した割合を，百分率と歩合で表しなさい。

(1) 0.05

(2) 0.73

解説

(1) 百分率…0.05 = 5%
　　　　　　0.01 倍 = 1%
　　歩合…0.05 = 5 分
　　　　　0.01 倍 = 1 分

(2) 百分率…0.73 = 73%
　　　　　　0.01 倍 = 1%，0.1 倍 = 10%
　　歩合…0.73 = 7 割 3 分
　　　　　0.1 倍 = 1 割，0.01 倍 = 1 分

例題2 次の百分率や歩合で表した割合を，小数で表しなさい。

(1) 39%

(2) 4 割 3 厘

解説

(1) 39% = 0.39
　　0.01 倍 = 1%，0.1 倍 = 10%

(2) 4 割 3 厘 = 0.403
　　0.1 倍 = 1 割，0.001 倍 = 1 厘

例題3 次の問いに答えなさい。

(1) 160cm の 25% は何 cm ですか。

(2) 180 ページの本を 117 ページ読みました。これは本全体の何割何分にあたりますか。

解説

(1) 25% = 0.25 より，160cm × 0.25 = 40cm
　　0.01 倍 = 1%，0.1 倍 = 10%　　　　　　　　比べる量を求める

(2) 117 ÷ 180 = 0.65，0.65 = 6 割 5 分
　　割合を求める　　　　　　　　0.1 倍 = 1 割，0.01 倍 = 1 分

1 次の小数で表した割合を，百分率と歩合でそれぞれ表しなさい。 `5年`

(1) 0.6

百分率 (   )   歩合 (   )

(2) 1.28

百分率 (   )   歩合 (   )

(3) 0.03

百分率 (   )   歩合 (   )

2 次の百分率や歩合で表した割合を，小数で答えなさい。 `5年`

(1) 7%   (   )   (2) 54%   (   )

(3) 305%   (   )   (4) 2.4%   (   )

(5) 3割7分   (   )   (6) 5割4分8厘   (   )

3 次の □ に当てはまる数を書きなさい。 `5年`

(1) 8kg は，20kg の [＿＿＿＿] %です。

(2) 60cm は，3m の [＿＿＿＿] 割です。

(3) 70L の 3 割は [＿＿＿＿] L です。

(4) 80m の 45%は [＿＿＿＿] m です。

(5) 12km² は [＿＿＿＿] km² の 150%です。

(6) [＿＿＿＿] cm³ の 60%は 36cm³ です。

比

⏱ 目標時間 **15** 分　解答は別冊の **P.011**

・2つの量の大きさの割合を，A：Bと表す。

・A：B の比の値 = A ÷ B = $\dfrac{A}{B}$

例題 1 中学生 12 人と小学生 10 人がいます。中学生と小学生の人数の比を，できるだけ簡単な整数で表しなさい。また，その比の値を求めなさい。 6年

解説

中学生の人数：小学生の人数 = 12：10 = 6：5

A：B の比の値は A ÷ B = $\dfrac{A}{B}$ なので，6 ÷ 5 = $\dfrac{6}{5}$（= 1.2）

💡 A：B = A × C：B × C，A：B = A ÷ C：B ÷ C （C は 0 でない数）
このとき，比の値はいずれも等しい。

例題 2 次の比を簡単にしなさい。 6年

(1) 12：16　　　　　　　　　　(2) 0.3：1.5

解説

(1) 12：16
　　= 3：4　　　最大公約数の 4 でわる

(2) 0.3：1.5
　　= 3：15　　　10 倍して整数にする
　　= 1：5　　　最大公約数の 3 でわる

例題 3 ロールパンをつくるのに，小麦粉と水の割合を 5：3 にしてつくることにしました。300g の小麦粉を使うとき，水は何 g 必要ですか。 6年

解説

水の量を□ g とすると，小麦粉：水 = 5：3 より，5：3 = 300：□ と表せる。

300 ÷ 5 = 60 なので，等号（=）の右側は左側の 60 倍であることがわかる。

よって□は 3 の 60 倍なので，3 × 60 = 180，水の量は 180g

1 次の割合をできるだけ簡単な比で表しなさい。

(1) 男子 5 人と，女子 8 人

$\Big($ 　　　　　 $\Big)$

(2) 水の重さ 400g と，油の重さ 300g

$\Big($ 　　　　　 $\Big)$

(3) 家から A 駅までの距離〔きょり〕400m と，家から B 駅までの距離 900m

$\Big($ 　　　　　 $\Big)$

2 次の比の値を求めなさい。

(1) 3 : 4　　　　　　　　　　　　(2) 5 : 3

(3) 8 : 12　　　　　　　　　　　 (4) 4 : 7

3 次の比を簡単にしなさい。

(1) 3 : 6　　　　　　　　　　　　(2) 8 : 12

(3) 18 : 27　　　　　　　　　　　(4) 0.77 : 0.28

(5) 1.25 : 0.8　　　　　　　　　　(6) $\dfrac{1}{6} : \dfrac{2}{9}$

4 次の式で x の表す数を求めなさい。

(1) 2 : 5 = x : 15　　　　　　　　(2) 49 : 63 = 7 : x

中学校の さきどり | **内項〔ないこう〕の積と外項〔がいこう〕の積**

等しい比では，= の内側にある 2 つの数の積（内項の積）と，= の外側にある 2 つの数の積（外項の積）が等しくなります。

内項の積
$$2 : 3 = \square : \triangle \longrightarrow 3 \times \square = 2 \times \triangle$$
外項の積

例　5 : 8 = 12 : x のとき，8 × 12 = 5 × x より，x = 96 ÷ 5 = 19.2

比例

 目標時間 **15** 分　解答は別冊の ▶ **P.011**

・2つの数量があり, 一方が2倍, 3倍…と変化するにつれて,
  もう一方も2倍, 3倍…と変化することを比例という。
・$y = a \times x$　と表す場合, y は x に比例するという。

例題1

5年
6年

次の表は, ある針金の長さ x cm とその重さ y g の関係を表したものです。次の
問いに答えなさい。

長さ x (cm)	1	2	3	4	5	6
重さ y (g)	5	10	15	20	25	30

(1) x の値が2から6に変わると, 対応する y の値は何倍になりますか。

(2) x の値が1増えると, y の値はいくつ増えますか。

(3) y を x の式で表しなさい。

(4) 針金の長さとその重さの関係はどのような関係といえますか。

(5) 針金の長さが18cm だったとき, その重さは何 g ですか。

解説

(1) x の値が2から6に3倍になったとき, 対応する y の値は10から30
に変わっているので, 同じく3倍になっている。

×3

長さ x (cm)	1	2	3	4	5	6
重さ y (g)	5	10	15	20	25	30

×3

(2) x の値が1増えたとき, y の値は5増えている。

(3) x の値が2倍, 3倍, …, と変化するとき, 対応する y の値も同じよう
に2倍, 3倍, …, と変化している。また, x の値が1増えたとき, y の
値は5増えているから, $y = 5 \times x$

 対応する1組の x, y について, $y \div x$ の商がいつも同じ値になる。

(4) $y = a \times x$ の形で表されるので, 針金の重さは針金の長さに比例する。

(5) 針金の長さと重さの関係は $y = 5 \times x$ なので, 針金の長さ x に18cm
を当てはめると針金の重さ y が計算できる。
$y = 5 \times 18 = 90$　よって, 90g。

1

次の表は，1個12円のガムを，何個買うと何円になるかを表にしたものです。次の問いに答えなさい。

ガムの数 x（個）	1	2	3	4	5	6
金額 y（円）	12	24	36	48	60	72

(1) x の値が3から9に変わると，対応する y の値は何倍になりますか。

(　　　　　　　　)

(2) y を x の式で表しなさい。

(　　　　　　　　)

(3) 35人のクラス全員に1個ずつ配るためにガムを買います。金額はいくらですか。

(　　　　　　　　)

2

次の表は，同じ速さで歩いたときに，歩いた時間と歩いた距離の関係を表したものです。次の問いに答えなさい。

歩いた時間 x（時間）	1	2	3	4	5
歩いた距離 y（km）	4	8	あ	16	い

(1) 表のあ，いに当てはまる数を答えなさい。

(　あ　　　　　　い　　　　　　)

(2) 歩く速さは時速何 km ですか。

(　　　　　　　　)

(3) y を x の式で表しなさい。

(　　　　　　　　)

(4) 次のア〜ウのうち，x と y の関係を表すグラフを選びなさい。

(　　　　　　　　)

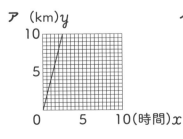
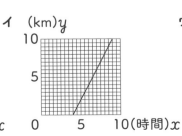
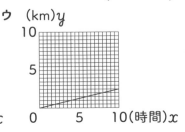

反比例

 目標時間 **15** 分　解答は別冊の **P.012**

復習ポイント

- ・2つの数量があり，一方が2倍，3倍…と変化するにつれて，もう一方は $\frac{1}{2}$ 倍，$\frac{1}{3}$ 倍…と変化することを**反比例**という。
- ・$x \times y = a$ と表す場合，y は x に反比例するという。

例題1　次の表は，全部で60個のクッキーを何人かで分け合ったときに1人あたりに配られる数を表したものです。次の問いに答えなさい。

6年

クッキーを分け合う人の数 x（人）	1	2	3	4	5	10	12	15	20	30	60
1人あたりのクッキーの数 y（個）	60	30	20	15	12	6	5	4	3	2	1

(1) x の値が2から10に変わると，対応する y の値は何倍になりますか。

(2) x の値が $\frac{1}{3}$ になったとき，y の値は何倍になりますか。

(3) クッキーを分け合う人の数と，1人あたりに配られるクッキーの数の積はいつもいくつになっていますか。

(4) y を x の式で表しなさい。

解説

(1) x の値が2から10に5倍になったとき，対応する y の値は30から6になっているので $\frac{1}{5}$ 倍になっている。

(2) x の値が $\frac{1}{3}$ になったとき，たとえば x が30から10になったとき，y の値は2から6になっているので，3倍になっている。

$\times 5$　　　　　　　　　　　$\times \frac{1}{3}$

クッキーを分け合う人の数 x（人）	1	2	3	4	5	10	12	15	20	30	60
1人あたりのクッキーの数 y（個）	60	30	20	15	12	6	5	4	3	2	1

$\times \frac{1}{5}$　　　　　　　　　　$\times 3$

(3) クッキーを分け合う人の数と，1人あたりのクッキーの数の積は，1×60，2×30，……と計算すると，いつも60になっている。

(4) (3)より，x と y の積がいつも60になっているので，$x \times y = 60$　よって $y = 60 \div x$

1 次の表は，面積が 36cm^2 になる長方形をつくるときの，縦の長さ $x\text{cm}$ と横の長さ $y\text{cm}$ の関係を表したものです。次の問いに答えなさい。

縦の長さ x（cm）	1	2	3	4	6	9	12	18	36
横の長さ y（cm）	36	18	12	9	6	4	3	2	1

(1) x の値が 4 倍になったとき，対応する y の値は何倍になりますか。

（　　　　　　　　）

(2) 縦の長さと横の長さの積は，いつもいくつになっていますか。

（　　　　　　　　）

(3) y を x の式で表しなさい。

（　　　　　　　　）

2 次の表は，24km の道のりを進むときの速度とかかる時間を表したものです。次の問いに答えなさい。

時速 x（km）	1	2	3	4	6	8	ⓘ	24
かかる時間 y（時間）	24	12	ⓐ	6	4	3	2	1

(1) 表のⓐ，ⓘに当てはまる数を答えなさい。

（　ⓐ　　　　　　ⓘ　　　　　　）

(2) y を x の式で表しなさい。

（　　　　　　　　）

(3) 次のア〜ウのうち，x と y の関係を表すグラフを選びなさい。

（　　　　　　　　）

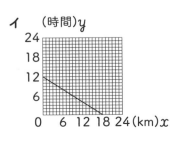

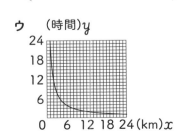

1 次の問いに答えなさい。

(1) 60g のバターと 60g のさとうに，30g のたまごを混ぜ，100g の小麦粉を加えてクッキーをつくります。全体の重さをもとにしたとき，小麦粉の重さの割合はいくつですか。答えがわり切れないときは四捨五入して，$\frac{1}{10}$ の位まで求めなさい。

( )

(2) 75cm のひもから，その 0.36 倍の長さのひもを切り取りました。切り取ったひもの長さは何 cm ですか。

( )

(3) おやつにチョコレートを 4 個食べました。これは，はじめにあったチョコレートの数の 0.125 倍にあたります。はじめにあったチョコレートの数は何個ですか。

( )

(4) 1 冊 960 円の本を買いました。これは，今月のおこづかいの 0.48 倍にあたります。今月のおこづかいは何円ですか。

( )

2 次の問いに答えなさい。

(1) 定価の 3 割引きでワンピースを買い，2086 円払いました。このワンピースの定価はいくらですか。

( )

(2) 定員 250 人の新幹線自由席に，その 180% の乗客が乗っています。乗客は何人ですか。

( )

(3) あるテーマパークの入場料は，子どもの料金が，大人の料金の 6 割の金額です。子どもの料金が 1260 円のとき，大人の入場料は何円ですか。

( )

3 次の問いに答えなさい。

(1) $\dfrac{1}{3}:\dfrac{4}{7}$ を簡単にしなさい。 　　　（　　　　　　　　　）

(2) 5：6 の比の値を求めなさい。 　　　（　　　　　　　　　）

(3) 48：78 ＝ 8：x で, x の表す数を求めなさい。 　　　（　　　　　　　　　）

4 おり紙を 6 枚使って飾り用の花を 1 つつくります。次の表は, つくった花の数と使ったおり紙の枚数の関係を表したものです。次の問いに答えなさい。

つくった花の数 x（個）	1	2	3	4	5
使ったおり紙の数 y（枚）	6	12	18	24	30

(1) つくった花の数が 2 倍, 3 倍, …になると, 使ったおり紙の枚数はどうなりますか。

（　　　　　　　　　）

(2) y を x の式で表しなさい。 　　　（　　　　　　　　　）

(3) 花を 250 個つくったとき, 使ったおり紙は何枚ですか。

（　　　　　　　　　）

5 次の表は, 3000m の距離を, 何人かで同じ距離ずつ走ったときに, 1 人あたりが走る距離を表したものです。次の問いに答えなさい。

走る人の数 x（人）	1	2	3	4	5	6
1 人あたりが走る距離 y（m）	3000	1500	1000	750	600	500

(1) 走る人の数と 1 人あたりが走る距離の積はいつもいくつになっていますか。

（　　　　　　　　　）

(2) y を x の式で表しなさい。 　　　（　　　　　　　　　）

(3) 12 人で走ったとき, 1 人あたりが走る距離は何 m ですか。

（　　　　　　　　　）

線対称・点対称

たいしょう

⏱ 目標時間 **15** 分　解答は別冊の ➡ **P.013**

・ある平面図形を1本の直線を折り目にして折ったとき，ぴったり重なり合う図形を線対称であるという。また，その直線を対称の軸という。

・ある平面図形を1つの点を中心に180°回転させたとき，ぴったり重なり合う図形を点対称であるという。また，その点を対称の中心という。

例題1 次の⑦～⑨の図形について，下の(1)～(3)に当てはまるものをそれぞれ記号で答えなさい。 **6年**

(1) 線対称な図形　　　　　　　　　(2) 点対称な図形

(3) 線対称でも点対称でもない図形

解説

(1) 線対称な図形は，1本の直線を折り目にして折ったときに，ぴったり重なり合う図形である。よって，⑦。

対称の軸

対応する2つの点を結んだ線

💡 対応する2つの点を結んだ線は，対称の軸と垂直に交わる。

(2) 点対称な図形は，1つの点を中心に180°回転させたとき，ぴったり重なり合う図形である。よって，⑦。

対称の中心

対応する2つの点を結んだ線

💡 対応する2つの点を結んだ線は，必ず対称の中心を通る。

(3) ⑨は，対称の軸も対称の中心もないので，線対称でも点対称でもない。

1 右の図は，直線アイを対称の軸とする線対称な図形です。

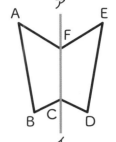

(1) 角 A に対応する角を答えなさい。

（　　　　　　　　）

(2) 辺 DE に対応する辺を答えなさい。

（　　　　　　　　）

(3) 点 E に対応する点を答えなさい。

（　　　　　　　　）

2 右の方眼に，直線アイを対称の軸として，線対称な図形をかきなさい。

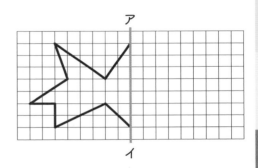

3 右の図は，点対称な図形です。

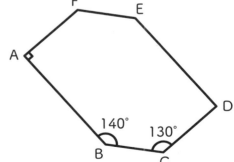

(1) 点 A に対応する点を答えなさい。

（　　　　　　　　）

(2) 辺 BC に対応する辺を答えなさい。

（　　　　　　　　）

(3) 角 D の大きさを答えなさい。

（　　　　　　　　）

(4) 対称の中心 O を図の中にかき入れなさい。

拡大図・縮図

⏱ 目標時間 **15** 分　解答は別冊の P.013

- 図形のすべての部分の長さを同じ割合でのばした図を拡大図という。
  のばした割合を倍率という。
- 図形のすべての部分の長さを同じ割合で縮めた図を縮図という。
  縮めた割合を縮尺という。

例題1 次の三角形⑦は，三角形①の拡大図です。下の問いに答えなさい。

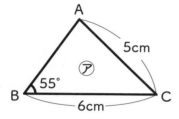 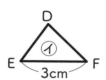

(1) ①の図形は，⑦の図形の何倍の縮図ですか。

(2) 辺 DF は何 cm ですか。

(3) 角 E は何度ですか。

解説

(1) ①の図形で，⑦の図形の辺 BC と対応する辺は，辺 EF である。長さを比べると，辺 EF の長さは辺 BC の $\frac{1}{2}$ 倍となっているので，①の図形は，⑦の図形の $\frac{1}{2}$ 倍の縮図である。

(2) 辺 DF に対応する⑦の辺は，辺 AC である。①の倍率は $\frac{1}{2}$ 倍なので，
$$5\text{cm} \times \frac{1}{2} = \frac{5}{2}\text{cm} = 2.5\text{cm}$$

(3) 角 E に対応する⑦の角は，角 B である。拡大図・縮図では，角度の大きさは変わらないので，角 E の大きさも 55° となる。

1 次の図について，下の問いに記号で答えなさい。 6年

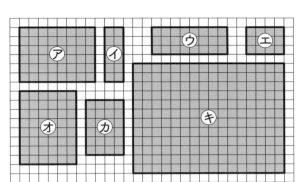

(1) ㋐の図形と合同な図形はどれですか。 （　　　　　）

(2) ㋐の図形の2倍の拡大図はどれですか。 （　　　　　）

(3) ㋐の図形の$\frac{1}{2}$の縮図はどれですか。 （　　　　　）

(4) ㋐の図形の$\frac{1}{2}$の縮図の面積は，㋐の面積の何倍ですか。

（　　　　　）

2 右の三角形 ABC の$\frac{1}{2}$の縮図を考えます。 6年

(1) 辺 AB に対応する辺の大きさは何cmになりますか。
（　　　　　）

(2) 角 B に対応する角は何度になりますか。
（　　　　　）

中学校の
さきどり 相似（そうじ）

中学校では，拡大図・縮図のような関係を「相似」といいます。
三角形では，次の3つの条件のうちどれかが当てはまれば相似といえます。
① 2つの角がそれぞれ等しい。　② 1つの角とそれをはさむ辺の比がそれぞれ等しい。
③ 3つの辺の比がそれぞれ等しい。
拡大図・縮図を裏返したものは，この条件を満たすので，もとの図形と相似です。

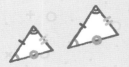

三角形とその面積

⏱ 目標時間 **15** 分　　解答は別冊の ➔ **P.013**

・三角形の面積 ＝ 底辺 × 高さ ÷ 2

例題 1 次の三角形 ABC について，次の問いに答えなさい。

(1) 面積を求めなさい。

(2) 辺 AB の長さは 12cm です。辺 AB を底辺としたときの高さを求めなさい。

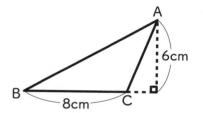

解説

(1) 辺 BC を底辺と考えると，高さは頂点 A から垂直におろした線の長さが高さになるので，底辺 × 高さ ÷ 2 より，8cm × 6cm ÷ 2 ＝ 24cm²

💡 頂点から底辺に向かって垂直におろした線（高さ）が，底辺をのばした先を通る場合もある。

(2) 辺 AB を底辺とすると，高さは頂点 C から垂直におろした線の長さになる。三角形 ABC の面積は(1)より 24cm² であり，三角形の面積 ＝ 底辺 × 高さ ÷ 2 なので，

12cm × （高さ）÷ 2 ＝ 24cm²
12cm × （高さ）＝ 48cm²
（高さ）＝ 48cm² ÷ 12cm ＝ 4cm

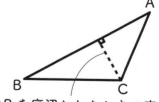

AB を底辺としたときの高さ

💡 底辺とする辺を変えれば，対応する高さも変わる。

1 次の三角形の面積を求めなさい。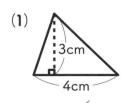

(1)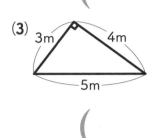

3cm
4cm

(　　　　　　　　)

(2)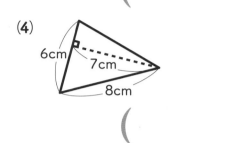

4cm
5cm

(　　　　　　　　)

(3)

3m　4m
5m

(　　　　　　　　)

(4)

6cm
7cm
8cm

(　　　　　　　　)

2 次の図形で色をぬった部分の面積を求めなさい。

(1)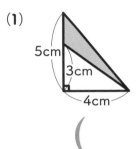

5cm
3cm
4cm

(　　　　　　　　)

(2)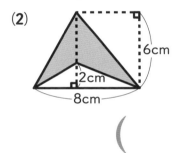

6cm
2cm
8cm

(　　　　　　　　)

3 次の問いに答えなさい。

(1) 面積が 30cm² で，底辺の長さが 5cm の三角形の高さを求めなさい。

(　　　　　　　　)

(2) 高さが 7cm で，面積が 21cm² の三角形の底辺の長さを求めなさい。

(　　　　　　　　)

中学校のさきどり　**等積変形**

右の平行四辺形 ABCD の中にある 2 つの三角形（PBC と QBC）は面積が同じです。このように，底辺が等しく，もう 1 つの頂点が底辺と平行な直線上にある三角形の面積はすべて等しくなります。

この性質を使うと，面積を変えることなく三角形の形を変えることができます。

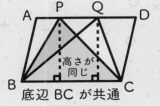

高さが同じ

底辺 BC が共通

四角形とその面積

⏱ 目標時間 **15** 分　　解答は別冊の ▶ **P.013**

復習ポイント

- 台形の面積 ＝（上底 ＋ 下底）× 高さ ÷ 2
- 平行四辺形の面積 ＝ 底辺 × 高さ
- ひし形の面積 ＝ 対角線 × 対角線 ÷ 2

例題 I 次の図形の面積を求めなさい。

(1) 台形

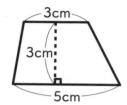

(2) 平行四辺形

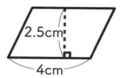

(3) ひし形

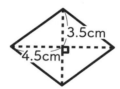

解説

(1) 面積 ＝（上底 ＋ 下底）× 高さ
　　÷ 2 より，

　　（3cm ＋ 5cm）× 3cm ÷ 2
　　＝ 12cm²

(2) 面積 ＝ 底辺 × 高さより，
　　4cm × 2.5cm ＝ 10cm²

(3) このひし形の 2 本の対角線の長さはそれぞれ，
　　3.5cm × 2 ＝ 7cm，　4.5cm × 2 ＝ 9cm
　　面積 ＝ 対角線 × 対角線 ÷ 2 より，　7cm × 9cm ÷ 2 ＝ 31.5cm²

1 次の図形の面積を求めなさい。 5年

(1) 台形

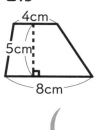
4cm
5cm
8cm

(　　　　　　　)

(2) 台形

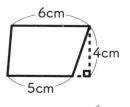
6cm
4cm
5cm

(　　　　　　　)

(3) 平行四辺形

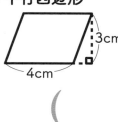
3cm
4cm

(　　　　　　　)

(4) 平行四辺形

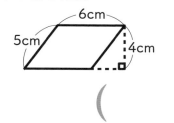
6cm
5cm
4cm

(　　　　　　　)

(5) ひし形

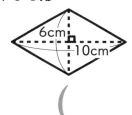
6cm
10cm

(　　　　　　　)

(6) ひし形

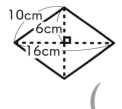
10cm
6cm
16cm

(　　　　　　　)

2 次の問いに答えなさい。 5年

(1) 底辺が 9cm，面積が 63cm^2 の平行四辺形の高さを求めなさい。

(　　　　　　　)

(2) 面積が 96cm^2 のひし形で，1本の対角線の長さが 8cm です。もう 1本の対角線の長さを求めなさい。

(　　　　　　　)

(3) 右の正方形の面積を求めなさい。

(　　　　　　　)

5m

多角形といろいろな面積

 目標時間 **15** 分　解答は別冊の ▶ **P.014**

- 3 つ以上の辺でできた図形を多角形という。
- 辺の長さがすべて等しい多角形を正多角形という。
- 多角形は 1 つの頂点から引ける対角線でいくつかの三角形に分けられる。その三角形の数は（辺の数）－ 2 になる。五角形なら，三角形 3 つに分けられる。

例題 1 右の図形は，辺の数が 7 つで，すべての辺の長さが 5cm の図形です。次の問いに答えなさい。 **5年**

（1）この図形の名前を答えなさい。

（2）この図形は 1 つの頂点から何本の対角線が引けますか。対角線をかきこんで答えなさい。

（3）（2）によって，この図形はいくつの三角形に分けられますか。

解説

（1）辺の長さがすべて等しく，辺の数が 7 つなので，正七角形。

（2）1 つの頂点からは，右のように 4 本の対角線が引ける。

　　自分自身と，両どなりの頂点には引けないので，1 つの頂点につき，（頂点の数）－ 3 本

（3）1 つの頂点から引ける対角線で分けられる三角形の数は，（辺の数）－ 2 なので，7 － 2 ＝ 5

例題 2 右の図形の面積を求めなさい。 **5年**

解説

この四角形は，2 つの直角三角形に分けられることに注目する。よって，

5cm × 5cm ÷ 2 ＋ 3cm × 4cm ÷ 2

＝ 12.5cm² ＋ 6cm²

＝ 18.5cm²

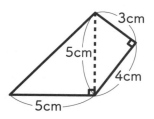

1 右の正五角形について，次の問いに答えなさい。

(1) ⓐの角の大きさを求めなさい。

（ 　　　　　　 ）

(2) 三角形 OAB はどんな三角形ですか。

（ 　　　　　　 ）

2 次の図形の面積を求めなさい。

(1)

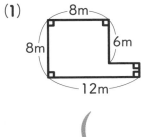

（ 　　　　　　 ）

(2)

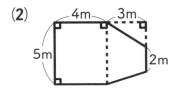

（ 　　　　　　 ）

(3)

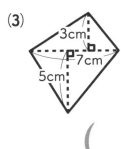

（ 　　　　　　 ）

(4)

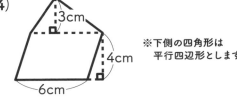

※下側の四角形は
平行四辺形とします。

（ 　　　　　　 ）

3 右の図のような平行四辺形の畑に，幅が 2m の道をつくりました。道をのぞいた分の畑の面積は何 m² ですか。

（ 　　　　　　 ）

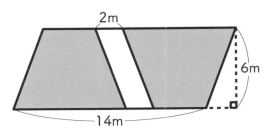

1 次の⑦～⑨の図形について，線対称な形には○を，点対称な形には△を，線対称でも点対称でもあるものには◎を，どちらでもないものには × をかきなさい。

⑦ (　　　)　　　⑦ (　　　)　　　⑦ (　　　)　　　⑦ (　　　)　　　⑦ (　　　)

正三角形　　　正方形　　　平行四辺形　　　台形　　　正五角形

2 ⑥の図形は，⑥の図形の拡大図です。次の問いに答えなさい。

(1) 辺 DE の長さを求めなさい。

(　　　　　　　　　　)

(2) ⑥の図形の面積は，⑥の図形の面積の何倍ですか。分数で答えなさい。

(　　　　　　　　　　)

3 面積が 30cm² で，底辺が 12cm の三角形 ABC があります。次の問いに答えなさい。

(1) 三角形 ABC の高さを求めなさい。

(　　　　　　　　　　)

(2) 三角形 ABC の 2 倍の拡大図をかきました。拡大した三角形の高さは何 cm ですか。

(　　　　　　　　　　)

(3) 三角形 ABC を $\frac{1}{3}$ 倍に縮小した縮図をかきました。縮図の三角形の面積は，三角形 ABC の何倍ですか。

(　　　　　　　　)

4 次の図形の面積を求めなさい。

(1)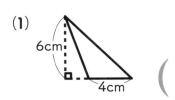

(　　　　　　　　)

(2)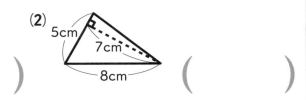

(　　　　　　　　)

(3)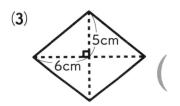

(　　　　　　　　)

(4)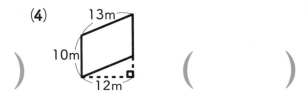

(　　　　　　　　)

(5)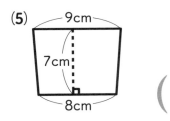

(　　　　　　　　)

(6)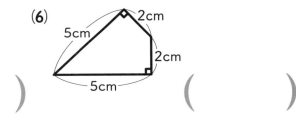

(　　　　　　　　)

(7)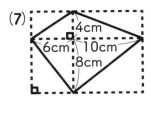

(　　　　　　　　)

(8)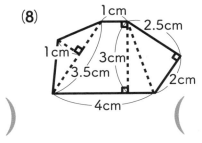

(　　　　　　　　)

5 右の図のような土地に，幅が 3m の通路をつくりました。通路をのぞいた部分の面積は何 m² ですか。

(　　　　　　　　)

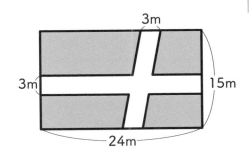

三角形の角

⏱ 目標時間 **15** 分　　解答は別冊の **P.015**

- 三角形の 3 つの角の大きさの和は 180°
- 四角形の 4 つの角の大きさの和は 360°
- 多角形は 1 つの頂点から引ける対角線でいくつかの三角形に分けて，角の大きさは 180°×三角形の数で求めることができる。

例題 1 次の三角形で⑧，⑩の角の大きさを求めなさい。

(1)

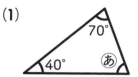

(2)

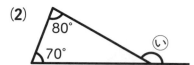

解説

(1) 三角形の 3 つの角の大きさの和は 180°なので，⑧の大きさは，
180° − (40° + 70°) = 180° − 110° = 70°

(2) 三角形の 1 つの角とその外角の和は 180°である。
三角形の残り 1 つの内角の大きさは，
180° − (80° + 70°) = 180° − 150° = 30°
求める⑩の大きさは，　180° − 30° = 150°

例題 2 右の図形で，すべての角の大きさの和を求めなさい。

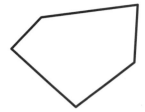

解説

五角形は 1 つの頂点から引いた対角線によって 3 つの三角形に分けられる。それぞれの三角形で 3 つの角度の和が 180°なので，五角形の角の大きさの和は，
180°×3 = 540°

1 次の図のあ～えの角の大きさを計算で求めなさい。

(1)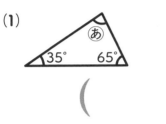

( )

(2)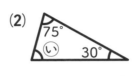

( )

(3)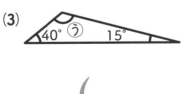

( )

(4)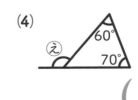

( )

2 次の図のか，きの角の大きさを計算で求めなさい。

(1)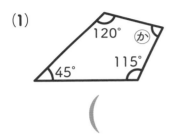

( )

(2)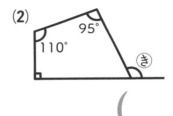

( )

3 右の正六角形について，次の問いに答えなさい。

(1) この図形の内角の大きさの和は何度ですか。

( )

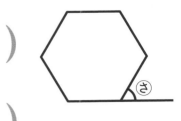

(2) さの角の大きさを計算で求めなさい。

( )

中学校の さきどり　**三角形の内角と外角の関係**

右の図で，
　角A＋角B
＝角Cの外側の角（角Cの外角）
が成り立ちます。

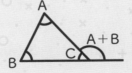

円と円周

 目標時間 **15** 分　解答は別冊の **P.015**

復習ポイント

・直径 ＝ 半径 × 2
・円周 ＝ 直径 × 3.14

例題 1 次の問いに答えなさい。

(1) 次の円の直径を求めなさい。

8cm

(2) 次の円の円周を求めなさい。

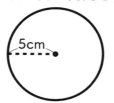

5cm

解説

(1) 直径 ＝ 半径 × 2 より，
　8cm × 2 ＝ 16cm

(2) 直径 ＝ 半径 × 2 より，
　5cm × 2 ＝ 10cm
　よって，円周は，
　10cm × 3.14 ＝ 31.4cm

どんな円でも，円周 ÷ 直径は一定の値になる。この値を円周率といい，小学校の算数では円周率を 3.14 とすることが多い。

例題 2 次の図形の色をぬった部分のまわりの長さを求めなさい。

(1)

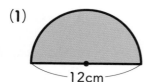

12cm

(2)

2cm

解説

(1) $12cm × 3.14 × \dfrac{1}{2}$

　　$= 18.84cm$

円周 ＝ 直径 × 3.14，半円だから × $\dfrac{1}{2}$

$18.84cm + 12cm = 30.84cm$

直径の長さをたす

(2) $2cm × 2 × 3.14 × \dfrac{1}{4}$

　　$= 3.14cm$

円周 ＝ 半径 × 2 × 3.14，
円の 4 分の 1 だから × $\dfrac{1}{4}$

$3.14cm + 2cm × 2 = 7.14cm$

半径 2 か所分の長さをたす

1 次の円の円周の長さを求めなさい。 5年

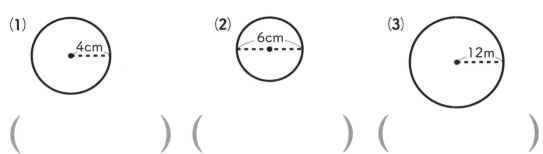

(1)　4cm

(2)　6cm

(3)　12m

(　　　　　)　(　　　　　)　(　　　　　)

2 次の図形の色をぬった部分のまわりの長さを求めなさい。 5年

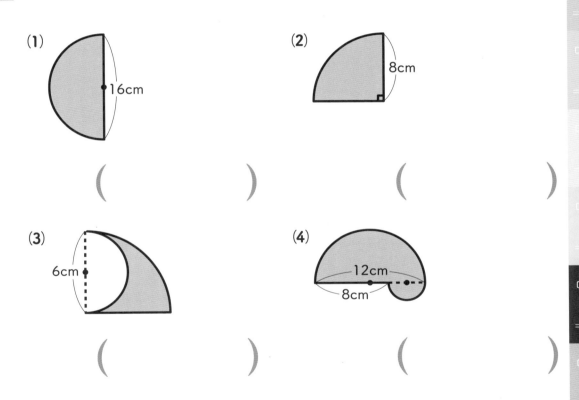

(1)　16cm

(2)　8cm

(　　　　　)　(　　　　　)

(3)　6cm

(4)　12cm　8cm

(　　　　　)　(　　　　　)

中学校の
さきどり　円周率 π（パイ）

円周率は，実際には 3.14159265… という数です。中学ではこれを文字 π で表し，3.14 とすることはありません。それは正確さを保つためです。たとえば，直径 0.5m のタイヤが 1 万回転したときに進む道のりを計算すると，

　　　3.14 の場合…0.5 × 3.14 × 10000 = 15700m　　　π の場合…0.5 × π × 10000 = 5000 × π（m）

となります。ここで，5000 × π をコンピュータで計算すると 15707.96… となり，8m 近くちがってしまいます。日常生活では問題にならないちがいですが，精密な計算が必要な場面では，3.14 だと正確さがたりないことがあるのです。

円の面積

⏱ 目標時間 **15** 分　　解答は別冊の ▶ **P.016**

復習ポイント

・円の面積 ＝ 半径 × 半径 × 3.14

例題1 次の円の面積を求めなさい。

(1)

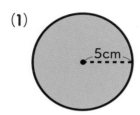
5cm

(2)

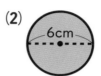
6cm

解説

(1) 面積 ＝ 半径 × 半径 × 3.14 より，

$5cm × 5cm × 3.14$
$= 78.5cm^2$

(2) 半径 ＝ 直径 ÷ 2 より，
半径は，6cm ÷ 2 ＝ 3cm
よって，面積は，
$3cm × 3cm × 3.14$
$= 28.26cm^2$

例題2 次の図形の色をぬった部分の面積を求めなさい。

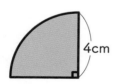
4cm

解説

この図形は，もとになる円を 4 等分したうちの 1 つだから，面積は，もとになる円の面積の $\frac{1}{4}$ である。よって，

$$\underset{\text{もとになる円の面積}}{\underline{4 × 4 × 3.14}} × \frac{1}{4}$$

4 で約分できる

$= 4 × 3.14$
$= 12.56 \ cm^2$

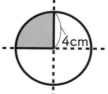
4cm

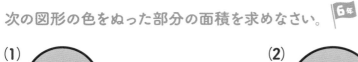

1 次の図形の色をぬった部分の面積を求めなさい。 6年

(1)

(   )

(2)

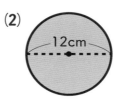

(   )

(3)

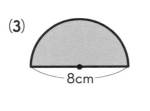

(   )

(4)

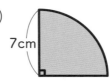

(   )

2 次の図形の色をぬった部分の面積を求めなさい。 6年

(1)

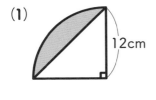

(   )

(2)

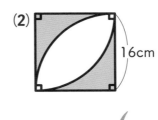

(   )

(3)

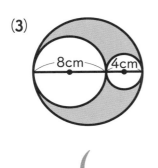

(   )

(4)

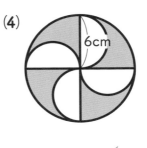

(   )

立方体と直方体の体積・容積

⏱ 目標時間 **15** 分　解答は別冊の➡ **P.016**

復習ポイント

- 直方体の体積 ＝ 縦 × 横 × 高さ
- 立方体の体積 ＝ 一辺 × 一辺 × 一辺
- 入れ物に，どれだけの体積のものが入るかを考えるとき，その体積を，その入れ物の**容積**という。一辺が 10cm の立方体の容積は，10cm × 10cm × 10cm ＝ 1L となる。
- 入れ物の内側を測った長さを「**うちのり**」という。
- うちのりの縦，横，高さをかけたものが容積になる。

例題1 次の直方体・立方体の体積を求めなさい。 **5年**

(1)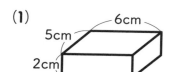

(2)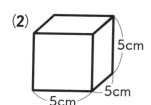

解説

(1) 体積 ＝ 縦 × 横 × 高さより，
　　5cm × 6cm × 2cm ＝ 60cm³

(2) 体積 ＝ 一辺 × 一辺 × 一辺より，
　　5cm × 5cm × 5cm ＝ 125cm³

例題2 次の図のような水槽の容積を求めなさい。 **5年**

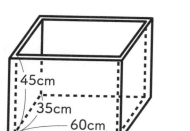

解説

容積は，うちのりの縦 × 横 × 高さであるので，
35cm × 60cm × 45cm ＝ 94500cm³

1 次の立方体と直方体の体積を求めなさい。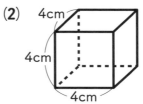

(1)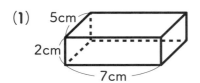

（　　　　　　　）

(2)

（　　　　　　　）

2 図のような立体の体積を求めなさい。

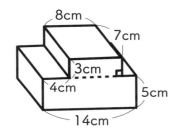

（　　　　　　　）

3 うちのりが，縦100cm，横80cm，深さ45cmの直方体をした容器があります。

(1) この容器の容積は何 cm³ ですか。

（　　　　　　　）

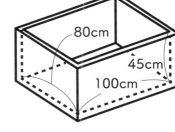

(2) この容器には何 L の水が入りますか。

（　　　　　　　）

(3) この容器に，容積の8割の水を入れました。何 L 入れましたか。

（　　　　　　　）

角柱・円柱の体積

⏱ 目標時間 **15** 分　　解答は別冊の **P.017**

復習ポイント

・角柱の体積 ＝ 底面積 (縦 × 横) × 高さ
・円柱の体積 ＝ 底面積 (半径 × 半径 × 3.14) × 高さ

例題1 次の角柱の体積を求めなさい。

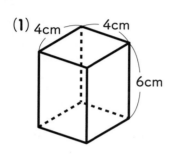

(1) 4cm　4cm　6cm

(2) 6cm　5cm　4cm

解説

(1) 体積 ＝ 底面積 × 高さ より，
　　4cm × 4cm × 6cm = 96cm³

(2) 底面が直角三角形で，高さが
　　6cm の三角柱だから，体積は，
　　$5cm × 4cm × \dfrac{1}{2} × 6cm$
　　= 60cm³

例題2 次の円柱の体積を求めなさい。

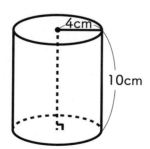

4cm　10cm

解説

円柱の体積 ＝ 底面積 × 高さ より，
4cm × 4cm × 3.14 × 10cm = 502.4cm³

1 次の立体の体積を求めなさい。 📐6年

(1)

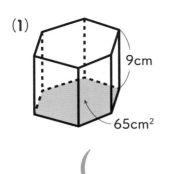

9cm

65cm²

(   )

(2)

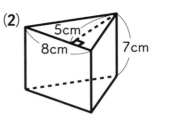

5cm
8cm
7cm

(   )

(3)

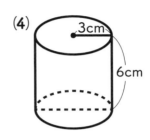

4cm
7cm
6cm
5cm

(   )

(4)

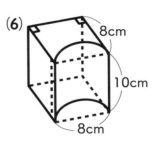

3cm
6cm

(   )

(5)

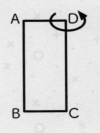

7cm
4cm

(   )

(6)

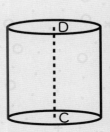

8cm
10cm
8cm

(   )

中学校のさきどり 回転体

右の図の長方形 ABCD を，辺 DC を軸として 1 回転させると，円柱ができます。

このような立体を回転体といいます。

体積は，底面が半径 BC の円で高さが DC の円柱と同じです。

A   D
B   C
D
C

テスト **6**

DAY 6 TEST

目標時間 **15**分

解答は別冊の P.017 ～ P.018

1 次のあ～えの角の大きさを計算で求めなさい。

(1)

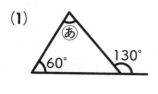

あ
60°　130°

(　　　　　　　　　)

(2)

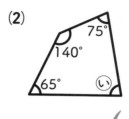

75°
140°
65°　い

(　　　　　　　　　)

(3)

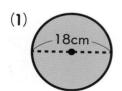

60°　う
105°

(　　　　　　　　　)

(4)

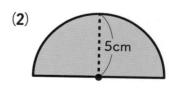

70°
120°
120°　え

(　　　　　　　　　)

2 次の図で，色をぬった部分のまわりの長さと面積を求めなさい。

(1)

18cm

まわりの長さ (　　　　　　　　)

面積 (　　　　　　　　)

(2)

5cm

まわりの長さ (　　　　　　　　)

面積 (　　　　　　　　)

(3)

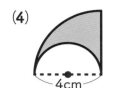

4cm

(4)

4cm

まわりの長さ（　　　　　　）

面積（　　　　　　）

まわりの長さ（　　　　　　）

面積（　　　　　　）

3 次の立体の体積を求めなさい。

(1)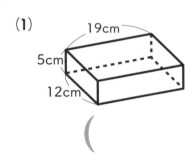

19cm
5cm
12cm

（　　　　　　　　）

(2)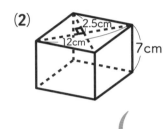

2.5cm
12cm
7cm

（　　　　　　　　）

(3)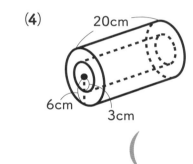

3cm
12cm²

（　　　　　　　　）

(4)

20cm
6cm
3cm

（　　　　　　　　）

4 厚さ2cm の板で，次の図のようなおもちゃ箱をつくりました。

(1) このおもちゃ箱の体積は何 cm³ ですか。（　　　　　　）

(2) このおもちゃ箱の容積は何Lですか。（　　　　　　）

(3) この箱に一辺が 4cm の立方体のさいころをかたづけます。箱からあふれないようにできるだけたくさん入れたとき，何個入れることができますか。

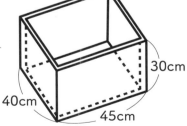

30cm
40cm
45cm

（　　　　　　）

並び方

⏱ 目標時間 **15** 分　　解答は別冊の ▶ **P.018**

・並び方を考えるときは**樹形図**をかくと便利。
1・2・3・4 の並び方は，最初を 1 としたら，
右の図のように 6 通りになる。
最初に置く数は 1・2・3・4 の 4 通りなの
で，6 通り × 4 ＝ 24 通り。

$$
1 \begin{cases} 2 \begin{cases} 3 - 4 \\ 4 - 3 \end{cases} \\ 3 \begin{cases} 2 - 4 \\ 4 - 2 \end{cases} \\ 4 \begin{cases} 2 - 3 \\ 3 - 2 \end{cases} \end{cases}
$$

例題 | A，B，C，D の 4 人でリレーのチームをつくります。

(1) A が第一走者になりました。残りの 3 人が走る順番をすべてかきましょう。
何通りありますか。

(2) 4 人の走る順番は全部で何通りありますか。

解説

(1) A が第一走者になったときの走る
順番の組み合わせを樹形図でか
くと右のようになる。よって 6 通り。

(2) 4 人の走る順番は，A が第一走
者になった場合に 6 通りある。B，
C，D それぞれが第一走者になっ
た場合にも同様に 6 通りずつあるので，
6 通り × 4 ＝ 24 通り

第一走者　第二走者　第三走者　第四走者

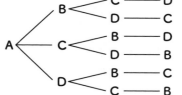

1 A，B，C，D の 4 人が順番にくじを引きます。 6年

(1) A が最初にくじを引くとき，残りの 3 人がくじを引く順番をすべてかきましょう。
何通りありますか。

(　　　　　)

(2) 4 人がくじを引く順番は全部で何通りありますか。

(　　　　　)

2 1，2，5 の数字を左から並べて 3 けたの数をつくります。 6年

(1) 3 けたの数は全部で何通りできますか。

(　　　　　)

(2) 200 より大きい数は何通りできますか。

(　　　　　)

3 A，B，C，D の 4 人が電車の座席に左から順番に座ります。 6年

(1) 座席の座り方は全部で何通りありますか。

(　　　　　)

(2) D が左から 2 番目に座る場合の座り方は何通りありますか。

(　　　　　)

(3) A と B がとなり合わせに座るときの座席の順番は何通りありますか。

(　　　　　)

組み合わせ

⏱ 目標時間 **15** 分　📖解答は別冊の **P.018 ～ 019**

・「A・B・C・Dの4チームがすべてのチームと試合をするとき，何試合行われるか」を考えるとき，「A対Aは無いこと」や「A対BとB対Aは同じ試合であること」に注意して考える。
① Aが試合をするのは，対B，C，Dの3試合。
②「並び方」のように計算すると3試合×4チーム＝12試合
③ A対BとB対Aは同じ試合なので，12試合÷2＝6試合となる。
（チーム数－1）×（チーム数）÷2

例題1　A，B，C，Dの4チームでドッジボールの試合をします。それぞれちがった 🏴6年 相手と1回ずつ試合するとき，4チームの対戦は全部で何試合になりますか。

解説
自分のチームとは対戦ができないことと，A対BとB対Aは同じ試合であることに注意して，試合の組み合わせを図に表すと右の図のようになる。
つないだ線の数が試合の数になるので，全部で6試合となる。
（チーム数－1）×（チーム数）÷2 より，3×4÷2＝6（試合）としても可。

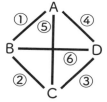

例題2　A，B，C，Dの4人の中から，掃除当番を3人選びます。選び方は何通りありますか。🏴6年

解説
4人の中から掃除当番を3人選ぶことは，4人の中から掃除当番ではない1人を選ぶことと同じである。
掃除当番ではない1人の選び方はA，B，C，Dの4通りだから，掃除当番を3人選ぶ選び方も4通りとなる。

選び方	A	B	C	D
①	○	○	○	×
②	○	○	×	○
③	○	×	○	○
④	×	○	○	○

1 A, B, C, D の 4 人の中から, 図書係を 2 人決めます。選び方は何通りあり
ますか。 6年

(　　　　　　　)

2 A, B, C, D の 4 人でテニスの試合をします。 6年

(1) それぞれがちがった相手と 1 回ずつ試合をするとき, どの人も何回ずつ試合を
しますか。

(　　　　　　　)

(2) 4 人の対戦は全部で何通りになりますか。

(　　　　　　　)

3 いちごのショートケーキ, モンブラン, ガトーショコラ, ミルクレープ, タルトの
6年 中から 3 つを選んで箱につめます。組み合わせは何通りありますか。

(　　　　　　　)

4 1, 2, 3, 4, 5 の数が書かれている 5 枚のカードから 3 枚選び, 数を合計し
6年 ます。

(1) カードの選び方は何通りありますか。

(　　　　　　　)

(2) カードの数の合計が 10 以上になる組み合わせは何通りありますか。

(　　　　　　　)

中学校の さきどり　確率

該当する場合の数
全部の場合の数 の値を, 確率といいます。

たとえば, さいころを 1 回ふって出る目の数が 1 となる確率は,

さいころを 1 回ふって出る目の全部の場合の数が 6 通りで,

1 が出る場合の数は 1 通りなので, $\frac{1}{6}$ です。

代表値(平均値・中央値・最頻値)

 ⏱ 目標時間 **15** 分 　解答は別冊の ➡ **P.019**

復習ポイント

- 平均 ＝ 合計 ÷ 個数
- 中央値…資料の値を大きさ順に並べたとき、その中央の値(メジアンともいう)
- 最頻値…資料の値の中で、最も多く現れる値(モードともいう)

例題1 次のグラフはあるクラスで小テストをしたときの結果をドットプロットに表したものです。小テストの結果について、以下の代表値を求めなさい。 🏴6年

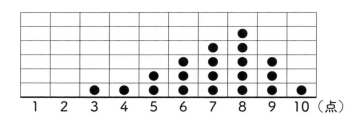

1 2 3 4 5 6 7 8 9 10(点)

(1) 平均値　　　(2) 中央値　　　(3) 最頻値

解説

(1) ドット1つが1人を表す。ドットの数を数えると、20人分ある。
平均値 ＝ 得点の合計 ÷ クラスの人数より、 *データの値の合計 ÷ データの個数*
(3＋4＋5×2＋6×3＋7×4＋8×5＋9×3＋10)÷20＝7
よって、平均値は7点。

(2) データの個数が20(偶数ぐうすう)なので、中央値は、得点の低い方から数えて10人目と11人目のデータの平均値になる。10人目も11人目も7点だから、中央値は7点。

偶数の場合

半分(10人)　　　　　半分(10人)
①②③……⑨⑩　　⑪⑫……⑱⑲⑳
⑩と⑪の平均 ＝ 中央値

💡 データの個数が奇数(きすう)の場合は、小さい順に並べて真ん中のデータが中央値。

奇数の場合
①②③④⑤⑥⑦⑧⑨
　　　　↑
　　　中央値

(3) 最頻値は、資料の値の中で、最も多く現れる値なので、8点。

1 次の表はあるクラス全員の右目の視力を調べたものです。

あるクラスの右目の視力

0.8	0.5	0.6	1.0	1.0	1.5	0.9	1.2	0.4	0.7
0.8	0.6	1.0	1.2	0.7	0.7	0.9	1.0	1.0	1.5
0.9	1.0	1.2	0.9	0.5					

(1) このクラスのデータをドットプロットに表しなさい。

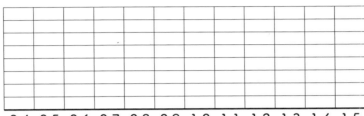

(2) 平均値を求めなさい。

( )

(3) 中央値を求めなさい。

( )

(4) 最頻値を求めなさい。

( )

(5) (3)，(4)で求めた中央値と最頻値をそれぞれ(1)のドットプロットに↑で示しなさい。

中学校の さきどり **相対度数**

P.092の度数分布表（→ DAY7-4）を利用すると，

その階級の度数 を求めることができます。
度数の合計

この値を相対度数といい，その階級に属するデータの個数が，データ全体にしめる割合を表します。右の例は，生徒40人のクラスの通学時間です。10分〜15分かかる人が全体の35%とわかります。

階級（分）		度数（人）	相対度数
以上	未満		
0 〜	5	6	0.15
5 〜	10	10	0.25
10 〜	15	14	0.35
15 〜	20	8	0.20
20 〜	25	2	0.05
計		40	1.00

度数分布

⏱ 目標時間 **15** 分　解答は別冊の→ **P.019**

復習ポイント

- 各階級に入る資料の個数をその**階級の度数**という。
- 階級に応じて整理した表を**度数分布表**という。
- 階級の幅を横，度数を縦とする長方形を並べたグラフを**ヒストグラム**という。
- **階級値**…度数分布表で各階級の真ん中の値

例題1　次のグラフは，あるクラスの1か月で読んだ本の数をヒストグラムに表したものです。

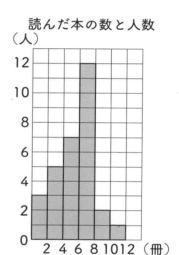

読んだ本の数と人数

(1) 階級の幅はいくつですか。

(2) クラスの人数は何人ですか。

(3) 度数が一番多い階級を答えなさい。

解説

(1) 2冊ごとに階級が区切ってあるので，階級の幅は2冊。

(2) ヒストグラムは，縦が度数を表しており，このヒストグラムでの度数は，それぞれの階級の人数を表している。よって，3 + 5 + 7 + 12 + 2 + 1 = 30 なので，30人となる。

(3) 度数が一番多いということは，その階級の人数が一番多いということになる。よって，6冊以上8冊未満の階級で度数が一番多い。

1 次のグラフは，6年生全員の理科のテストの結果をヒストグラムに表したものです。

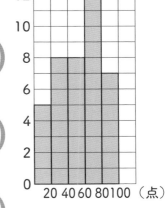

(1) 6年生は全員で何人いますか。

(   )

(2) 40点以上60点未満の人は何人いますか。

(   )

(3) 度数が一番多い階級を答えなさい。

(   )

(4) 55点を取った人は，どの階級に入っていますか。

(   )

(5) 点数が高い方から数えて20番目の人は，どの階級に入っていますか。

(   )

2 次の表は，あるクラスの立ち幅とびの結果を，度数分布表に表したものです。

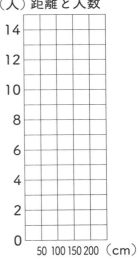

立ち幅とびの距離（きょり）と人数

距離（cm）	人数（人）
以上　未満	
0 ～ 50	2
50 ～ 100	7
100 ～ 150	14
150 ～ 200	㋐
200 ～	1
計	32

(1) 度数分布表の㋐に当てはまる数を求めなさい。

(   )

(2) この度数分布表を右上のヒストグラムに表しなさい。

1 次の問いに答えなさい。

(1) A，B，C，D，E の 5 人から，委員長と副委員長と書記を選びます。選び方は何通りありますか。

(　　　　　)

(2) 0，1，3，5 の 4 枚のカードがあります。これを左から並べて 4 けたの数をつくります。4 けたの数は何通りつくれますか。

(　　　　　)

(3) 1 枚のコインを 4 回続けて投げたとき，表と裏の出方は全部で何通りありますか。

(　　　　　)

(4) 男子 3 人，女子 4 人の中から，男女 1 人ずつ体育委員を決めます。選び方は何通りありますか。

(　　　　　)

(5) A，B，C，D，E の 5 つのチームでラグビーの試合をします。それぞれちがった相手と 1 回ずつ試合するとき，試合の数は全部で何試合ですか。

(　　　　　)

2 右の表は，あるクラス全員の朝食にかける時間を調べて，度数分布表に表したものです。次の問いに答えなさい。

(1) ㋐に当てはまる数を求めなさい。

(　　　　　)

(2) 度数が一番多い階級はどれですか。

(　　　　　)

朝食にかける時間と人数

時間（分）	人数（人）
以上　　未満	
0 ～ 5	5
5 ～ 10	3
10 ～ 15	6
15 ～ 20	10
20 ～ 25	㋐
25 ～	2
計	30

3 次の表は，あるクラス全員の通学時間を調べたものです。

通学時間（分）

13	9	8	15	18	14	10	8	13	6
12	3	8	7	9	9	8	14	10	5
7	4	2	8	5					

(1) このデータをドットプロットに表しなさい。

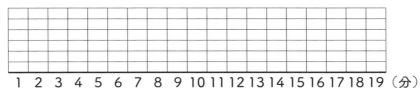

1 2 3 4 5 6 7 8 9 10 11 12 13 14 15 16 17 18 19 （分）

(2) 平均値を求めなさい。 　　　　（　　　　　　　　）

(3) 中央値を求めなさい。 　　　　（　　　　　　　　）

(4) 最頻値を求めなさい。 　　　　（　　　　　　　　）

(5) 階級を 3 分ずつに区切って，左下の度数分布表を完成させなさい。

(6) (5)の度数分布表で，度数が一番多い階級はどれですか。

（　　　　　　　　）

(7) (5)の度数分布表の内容を，右下のヒストグラムに表しなさい。

通学時間と人数

時間（分） 以上　未満	人数（人）
0 ～ 3	
3 ～ 6	
6 ～ 9	
9 ～ 12	
12 ～ 15	
15 ～ 18	
18 ～ 21	
計	

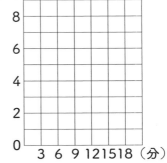

（人）　通学時間と人数

監修　陰山　英男
（かんしゅう　かげやま　ひでお）

1958年兵庫県生まれ。岡山大学法学部卒。兵庫県朝来町立（現朝来市立）山口小学校教師時代から，反復学習や規則正しい生活習慣の定着で基礎学力の向上を目指す「陰山メソッド」を確立し，脚光を浴びる。

2003年4月，尾道市立土堂小学校校長に全国公募により就任。

百ます計算や漢字練習の反復学習を続け基礎学力の向上に取り組む一方，そろばん指導やICT機器の活用など新旧を問わず積極的に導入する教育法によって子どもたちの学力向上を実現している。近年は，ネットを使った個別の小学生英語など，グローバル人材の育成に向けて提案や実践などに取り組んでいる。

過去，文部科学省中央教育審議会教育課程部会委員，内閣官房教育再生会議委員，大阪府教育委員会委員長などを歴任。2006年4月から2016年まで，立命館大学教授。

現在，陰山ラボ代表。陰山メソッド普及のため教育クリエイターとして活躍し，講演会等を実施するほか，全国各地で教育アドバイザーなどにも就任，子どもたちの学力向上に成果をあげている。著書多数。

改訂版　小学校の算数の総復習が7日間でできる本
（かいていばん　しょうがっこう　さんすう　そうふくしゅう　か　かん　ほん）

2024年11月15日　初版発行

監修／陰山　英男
（かげやま　ひでお）

発行者／山下　直久

発行／株式会社KADOKAWA

〒102-8177　東京都千代田区富士見2-13-3

電話：0570-002-301（ナビダイヤル）

印刷所／株式会社リーブルテック

製本所／株式会社リーブルテック

小学校の算数の 総復習が7日間でできる本

改訂版

監修
陰山英男
陰山ラボ代表・教育クリエイター

解答・解説

この別冊は本体との接触部分がのり付けされていますので，
本体からていねいに引き抜いてください。なお，この別冊抜き取りの際に
損傷が生じた場合，お取り替えはいたしかねます。

第 1 回　実力テスト

1

(1) 782　(2) 84　(3) 37835

(4) 17.25　(5) $\dfrac{53}{60}$　(6) $\dfrac{1}{3}$

解説 (5) $\dfrac{4}{5} + \dfrac{3}{4} - \dfrac{2}{3} = \dfrac{48}{60} + \dfrac{45}{60} - \dfrac{40}{60} = \dfrac{53}{60}$

2

(1) 秒速 20m　(2) 時速 18km

(3) 1050m　(4) 63km

解説 (4) バイクの 1 分間あたりに進む距離
は 84 ÷ 60 = 1.4（km/ 分）

よって，45 分で走るときの道のりは

1.4 × 45 = 63（km）

3

(1) 4 : 3　(2) 2 : 3　(3) 4 : 1　(4) 3 : 1

解説 (3) 2.4 : 0.6 = 24 : 6 = 4 : 1

4

$\dfrac{3}{50}$

解説 水 250g をもとにしたときの，塩 15 g
の割合は $\dfrac{15}{250} = \dfrac{3}{50}$

5

(1) 点 G　(2) 辺 ED

6

(1) 12 通り　(2) 24 通り

解説 (2) 委員長と副委員長を決めると，あ
と 1 人書記を選べば，委員長，副委員長，
書記がそれぞれ 1 人ずつ決まる。

(1)より，委員長と副委員長の決め方は 12
通りで，残った 2 人から書記を決めればよ
いので 12 × 2 = 24（通り）

7

(1) 48　(2) 72　(3) 71.5　(4) 64

解説 (2) テストの点数をそれぞれ足すと 2160
であることがわかる。平均点は，合計を人数
でわればよいので 2160 ÷ 30 = 70 となる。

(3) 中央値は 15 番目と 16 番目の平均の値
となるので，(68 + 75) ÷ 2 = 71.5 となる。

第 2 回　実力テスト

1

(1) 23　(2) 7776　(3) 0.09

(4) 3.6　(5) $\dfrac{1}{3}$　(6) 4

解説 (4) $1.7 \times \dfrac{4}{7} + 5.3 \times \dfrac{4}{7}$

$= (1.7 + 5.3) \times \dfrac{4}{7} = 7 \times \dfrac{4}{7} = 4$

2

(1) 公約数　1，3，5，15　最大公約数　15

(2) 公約数　1，2，3，6　最大公約数　6

解説 (1) 15 の約数……<u>1</u>，<u>3</u>，<u>5</u>，<u>15</u>

45 の約数……<u>1</u>，<u>3</u>，<u>5</u>，9，<u>15</u>，45

より，15 と 45 の公約数は 1，3，5，15，

最大公約数は 15 となる。

(2) 24 の約数……<u>1</u>，<u>2</u>，<u>3</u>，4，<u>6</u>，8，12，
24

18 の約数……<u>1</u>，<u>2</u>，<u>3</u>，<u>6</u>，9，18

より，24 と 18 の公約数は 1，2，3，6，

最大公約数は 6 となる。

3

(1) 78.2t　(2) 76t

解説 (1) (75 × 4 + 80 × 7) ÷ 11

= 78.18…

より，$\dfrac{1}{10}$ の位まで求めるには，小数第二位

を四捨五入して 78.2

4

(1) 40 ページ　(2) 200 冊

5

(1) 3 倍　(2) 7 倍　(3) 7

(4) $y = 7$（×）x　(5)（$y =$）126

解説 (5) $y = 7 \times 18 = 126$

6

(1) 45° (2) 136° (3) 121°

解説 (3) 下の図で

62° + 28° + 31° + ● + × = 180°

● + × = 59°, ● + × + ⑤ = 180°

よって, ⑤ = 121° となる。

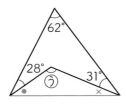

第3回　実力テスト

1

(1) 38.2 (2) 12 (3) 8428

(4) $\frac{2}{3}$ (5) 3 (6) 6

解説 (6) $2.4 \times \frac{3}{4} + 5.6 \times \frac{3}{4} = (2.4 +$

$5.6) \times \frac{3}{4} = 8 \times \frac{3}{4} = 6$

2

(1) 1200m (2) 48t (3) 4a (4) 0.5km²

3

(1) 280人 (2) 140人 (3) A市

解説 (3) 人口密度はA市の方が大きいので,

A市の方が混んでいるといえる。

4

(1) ($x =$) 16 (2) ($x =$) 85

5

(1) 6通り (2) 4通り

解説 (1) 3けたの数は,「136」「163」「316」

「361」「613」「631」の6通り。

(2) (1)のうち奇数は「163」「361」「613」

「631」の4通り。

6

(1) 30cm² (2) 28cm² (3) 12cm²

7

(1) 1130.4cm³

(2) 602.88cm²

解説 (2) 円柱の展開図は下の図のようにな

る。赤い部分は同じ長さなので, 側面の長

方形の横の長さは,

$$12 \times 3.14 = 37.68 \text{(cm)},$$

よって, 表面積は,

$6 \times 6 \times 3.14 \times 2 + 10 \times 37.68$

$= 602.88 \text{(cm}^2)$ となる。

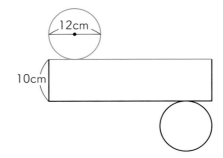

第4回　実力テスト

1

(1) 180 (2) 28.38 (3) $\frac{19}{112}$

(4) 1.5 $\left(もしくは \frac{3}{2}, 1\frac{1}{2}\right)$

(5) 1.6 $\left(もしくは \frac{8}{5}, 1\frac{3}{5}\right)$

(6) $\frac{65}{42}$ $\left(もしくは 1\frac{23}{42}\right)$

解説 (4) $\frac{4}{5} + 0.7 = \frac{8}{10} + 0.7$

$$= 0.8 + 0.7 = 1.5$$

2

(1) 公倍数　28, 56, 84　最小公倍数　28

(2) 公倍数　30, 60, 90　最小公倍数　30

解説

(1) 4の倍数…4, 8, 12, 16, 20, 24,

<u>28</u>, …

7の倍数…7, 14, 21, <u>28</u>, 35, 42, …

なので最小公倍数は 28 となる。

(2)

3 の倍数…3, 6, 9, 12, 15, 18, 21, 24, 27, <u>30</u>, …

5 の倍数…5, 10, 15, 20, 25, <u>30</u>, …

6 の倍数…6, 12, 18, 24, <u>30</u>, …

なので最小公倍数は 30 となる。

③

(1) 時速 60km　(2) 分速 400m

(3) 秒速 100m　(4) 900m　(5) 36km

解説 (1) 速さ ＝ 距離 ÷ 時間 より，

$150 ÷ 2.5 = 60$（km/時間）となる。

(5) 距離 ＝ 速さ × 時間 より

$0.49 × 90 = 36$km となる。

④

(1) $\frac{1}{4}$ 倍　(2) 6 倍　(3) 36

(4) $y = 36 ÷ x$　(5) 7.2

⑤

(1) 31 人　(2) 6 人　(3) 4.5

(4) 4 時間以上 5 時間未満

(5) 6 時間以上 7 時間未満

解説 (3) 階級値は階級の下限と上限の平均なので，$(4 + 5) ÷ 2 = 4.5$ となる。

第 5 回　実力テスト

①

(1) 27　(2) 8.5　(3) 13.36　(4) 16.6

(5) $\frac{4}{3}$ $\left(もしくは 1\frac{1}{3}\right)$　(6) $\frac{31}{20}$ $\left(もしくは 1\frac{11}{20}\right)$

解説 (6) $\frac{3}{4} + 0.5 + \frac{3}{10} = \frac{3}{4} + \frac{1}{2} + \frac{3}{10}$

$= \frac{15}{20} + \frac{10}{20} + \frac{6}{20}$

$= \frac{31}{20}$

②

(1) 3%　(2) 20%　(3) 214%　(4) 105.3%

③

(1) 6 通り　(2) 24 通り

解説 (1) 残り 3 つの玉の入れ方を，箱の大きさの順に決めると以下のようになるので 6 通り。

④

30 人

解説 バスの定員に対して 0.4 倍にあたる人数が乗っているので，$50 × 0.4 = 20$（人）バスに乗車していることがわかる。よって，バスに乗れる残りの人数は $50 - 20 = 30$（人）となる。

⑤

(1) 秒速 250m　(2) 時速 45km　(3) 5 秒

⑥

(1) 28.26cm^2　(2) 28.5cm^2　(3) 140cm^3

解説 (1) 大きな半円から，中の円の面積をひいて

$6 × 6 × 3.14 × \frac{1}{2} - 3 × 3 × 3.14 = 28.26$

(2) 大きな円から，中の正方形の面積をひいて，

$5 × 5 × 3.14 - 10 × 10 × \frac{1}{2} = 28.5$

DAY 1

1-1 整数のたし算・ひき算・かけ算
▶ p.009

1

(1) 693　(2) 832　(3) 1221　(4) 332

(5) 89　(6) 899　(7) 29　(8) 5

解説 (1)～(6) 位をそろえて筆算する。くり上がりやくり下がりをまちがえないように気をつけよう。

(7), (8) かっこがあるときは，かっこの中から計算する。

2

(1) 36134　(2) 132635　(3) 111384

(4) 162400

解説 かけ算も位をそろえて計算する。0があるときの位の場所や，くり上がりに注意しよう。

1-2 整数のわり算 ▶ p.011

1

(1) 22　(2) 14　(3) 17あまり3　(4) 21

(5) 146あまり2　(6) 76あまり4

2

(1) 3あまり1　(2) 8あまり43　(3) 12

(4) 5あまり500

解説 (1) 32をだいたい30とみて，かりの商をたてます。商が大きすぎたときは，1ずつ小さくしていく。

(4) わられる数にも，わる数にも後ろに0があるときは，0を同じ数だけ消して計算する。あまりがあるときは，あまりの後ろに消した分だけ0をつけたす。

$$\begin{array}{r} 5 \\ 7\cancel{00}\overline{)4\cancel{000}} \\ \underline{35} \\ 500 \end{array}$$ 0を消す
40 ÷ 7を計算
あまりは5ではなく500

1-3 小数のたし算・ひき算・かけ算
▶ p.013

1

(1) 8.4　(2) 2.8　(3) 31.9　(4) 26.6

(5) 48　(6) 23.4

解説 小数のたし算やひき算は，小数点の位置をそろえて筆算する。

2

(1) 7.14　(2) 0.08　(3) 1.5　(4) 45.92

解説 小数のかけ算は，整数のかけ算と同じように計算をしたあとで，かけられる数とかける数の小数点の右にある，けたの数の和にそろえて小数点をうつ。

(3) $$\begin{array}{r} 2.5 \\ \times 0.6 \\ \hline 1.5\cancel{0} \end{array}$$ 不要な0は消す

1-4 小数のわり算 ▶ p.015

1

(1) 60　(2) 1.8　(3) 0.9　(4) 1.25

解説 小数のわり算は，わる数が整数になるように，わる数とわられる数の小数点を，同じけた数だけ右へ移す。

2

(1) 0.7あまり0.5　(2) 2.6あまり0.06

(3) 2.3あまり0.01　(4) 0.5あまり0.45

解説 あまりの小数点は，小数点を動かす前のわられる数の小数点の位置にそろえてうつ。

3

(1) 1.7　(2) 0.1

解説 $\frac{1}{100}$の位まで計算して，$\frac{1}{100}$の位を四捨五入する。

(1) $7.1 \div 4.2 = 1.69\overset{7}{\cancel{8}}\cdots$

1-5 速さ・時間・距離① ▶ p.017

1

(1) 時速90km　(2) 分速400m

(3) 秒速 8m　(4) 時速 70km

解説 (2) 30 分で 12km ＝ 12000m 走るので，12000 ÷ 30 ＝ 400

2

(1) 分速 3km　(2) 秒速 16m

(3) 秒速 20m　(4) 時速 36km

(5) 秒速 5m

解説 (1) 1 時間 ＝ 60 分なので，180 ÷ 60 ＝ 3

(3) 72km ＝ 72000m，1 時間 ＝ 60 分 ＝ 3600 秒なので，72000 ÷ 3600 ＝ 20

(5) 1 時間 40 分 ＝ 100 分 ＝ 6000 秒なので，30000 ÷ 6000 ＝ 5

1-6　速さ・時間・距離② ▶ p.019

1

(1) 320km　(2) 90m　(3) 4500m

2

(1) 4 時間　(2) 50 秒　(3) 40 分

(4) 7 時間

1-7　テスト 1 ▶ p.020

1

(1) 503　(2) 25.24　(3) 29　(4) 55

(5) 756　(6) 27.91　(7) 19110　(8) 4.5

(9) 25　(10) 1.25

2

(1) 17 あまり 2　(2) 13 あまり 0.6

3

(1) 3.9　(2) 0.77

解説 上から 2 けたなので，商の上から 3 けた目を四捨五入する。

(1) 67 ÷ 17 ＝ 3.94…

(2) 3.6 ÷ 4.7 ＝ 0.765…

　　　（一の位の 0 をのぞいて 3 けた目）

4

(1) 分速 200m　(2) 分速 300m

(3) 2400m　(4) 10km　(5) 13 時間

(6) 4 分

解説 (2) 12km ＝ 12000m なので，12000 ÷ 40 ＝ 300

(4) 15 分 ＝ $\frac{15}{60}$ 時間，速さ × 時間 ＝ 距離なので，40 × $\frac{15}{60}$ ＝ 10（km）

DAY 2

2-1　約数・倍数 ▶ p.023

1

(1) 1，2，3，6

(2) 1，2，3，4，6，8，12，24

(3) 1，2，3，4，6，9，12，18，36

(4) 1，19

解説 (1) 6 は 1，2，3，6 でわりきれます。

(4) 19 は 1 と 19 のみでわりきれます。

2

(1) 6，12，18　(2) 9，18，27

(3) 13，26，39

解説 (1) 6 の倍数は，6 × 1，6 × 2，6 × 3，…となる。

2-2　公約数と約分・公倍数と通分 ▶ p.025

1

(1) 公約数 1，2，4，8　最大公約数 8

(2) 公約数 1，2，3，6　最大公約数 6

2

(1) 公倍数 12，24，36　最小公倍数 12

(2) 公倍数 18，36，54　最小公倍数 18

解説 (1) 4 と 6 の公倍数のうち，一番小さい数は 12。

3

(1) $\frac{3}{4}$　(2) $\frac{2}{3}$　(3) $\frac{5}{7}$　(4) $\frac{1}{3}$

解説 分子の数と分母の数の最大公約数で約分する。(3) 15 と 21 の最大公約数は 3

です。

4

(1) $\dfrac{8}{12}$, $\dfrac{9}{12}$　(2) $\dfrac{2}{6}$, $\dfrac{9}{6}$　(3) $\dfrac{6}{9}$, $\dfrac{1}{9}$

(4) $\dfrac{10}{12}$, $\dfrac{9}{12}$

解説 通分は，分母同士をかけ合わせた数で行っても計算できるが，分母同士の最小公倍数を使うと簡単に計算できる。

2-3　分数のたし算・ひき算 ▶ p.027

1

(1) $\dfrac{4}{5}$　(2) $\dfrac{1}{3}$　(3) $\dfrac{11}{14}$　(4) $\dfrac{7}{12}$

(5) $\dfrac{37}{30}$ $\left(もしくは1\dfrac{7}{30}\right)$　(6) $\dfrac{17}{40}$　(7) $\dfrac{9}{16}$

(8) $\dfrac{2}{9}$　(9) $\dfrac{7}{15}$　(10) $\dfrac{20}{21}$

解説 分母が異なるときは通分してから計算する。答えが約分できるときは約分する。

(9) $\dfrac{5}{12} + \dfrac{1}{20} = \dfrac{25}{60} + \dfrac{3}{60} = \dfrac{28}{60} = \dfrac{7}{15}$

2

(1) $\dfrac{3}{5}$　(2) $\dfrac{11}{9}$ $\left(もしくは1\dfrac{2}{9}\right)$　(3) $\dfrac{23}{24}$

(4) $\dfrac{6}{5}$ $\left(もしくは1\dfrac{1}{5}\right)$

2-4　分数のかけ算・わり算 ▶ p.029

1

(1) $\dfrac{4}{7}$　(2) 1　(3) $\dfrac{3}{20}$　(4) $\dfrac{1}{6}$

(5) $\dfrac{3}{2}$ $\left(もしくは1\dfrac{1}{2}\right)$　(6) $\dfrac{3}{4}$　(7) $\dfrac{7}{30}$

(8) 1

解説 分数のかけ算では，分子同士，分母同士をかけ合わせる。計算のとちゅうで約分できるときは先に約分しておく。

2

(1) $\dfrac{1}{8}$　(2) $\dfrac{1}{10}$　(3) $\dfrac{21}{16}$ $\left(もしくは1\dfrac{5}{16}\right)$

(4) $\dfrac{3}{5}$　(5) $\dfrac{1}{14}$　(6) 9

(7) $\dfrac{9}{2}$ $\left(もしくは4\dfrac{1}{2}\right)$　(8) $\dfrac{3}{14}$

解説 分数のわり算では，わる数を逆数にしてからかけ合わせる。

2-5　いろいろな計算の順序① ▶ p.031

1

(1) 57　(2) 9　(3) 36　(4) 7　(5) 3.1

(6) 4.9　(7) $\dfrac{73}{36}$ $\left(もしくは2\dfrac{1}{36}\right)$　(8) $\dfrac{1}{6}$

解説 (3) $42 - (55 + 17) \div 12 = 42 - 72 \div 12 = 42 - 6 = 36$

(4) $1.9 \times 7 - 1.6 \times 5 + 1.7 = 13.3 - 8 + 1.7 = 7$

(7) たし算とわり算が混じっているので，わり算から計算する。

$\dfrac{7}{9} + \dfrac{5}{6} \div \dfrac{2}{3} = \dfrac{7}{9} + \dfrac{5}{6} \times \dfrac{3}{2} = \dfrac{7}{9} + \dfrac{5}{4} = \dfrac{28}{36} + \dfrac{45}{36} = \dfrac{73}{36}$

(8) $\dfrac{2}{13} \times \left(\dfrac{3}{4} + \dfrac{1}{3}\right) = \dfrac{2}{13} \times \left(\dfrac{9}{12} + \dfrac{4}{12}\right)$
$= \dfrac{2}{13} \times \dfrac{13}{12} = \dfrac{1}{6}$

2

(1) 240　(2) 200　(3) 1173　(4) 2.1

(5) 1　(6) 9

解説 (2) $67 \times 8 - 42 \times 8 = (67 - 42) \times 8 = 25 \times 8 = 200$

(3) $51 \times 23 = (50 + 1) \times 23 = 50 \times 23 + 1 \times 23 = 1150 + 23 = 1173$

(6) $\left(\dfrac{3}{4} + \dfrac{3}{5}\right) \div \dfrac{3}{20} = \left(\dfrac{3}{4} + \dfrac{3}{5}\right) \times \dfrac{20}{3}$
$= \dfrac{3}{4} \times \dfrac{20}{3} + \dfrac{3}{5} \times \dfrac{20}{3} = 5 + 4 = 9$

2-6　いろいろな計算の順序② ▶ p.033

1

(1) 1169　(2) 140　(3) 6800　(4) 10.6

(5) 8.7　(6) 3.99

解説　(2) $500 - 9 \times 8 \times 5 = 500 - 9$
$\times 40 = 500 - 360 = 140$

(5) 7.5×0.4 から計算すると，$2.9 \times (7.5$
$\times 0.4) = 2.9 \times 3 = 8.7$

2

(1) 2359　(2) 60　(3) 1.6　(4) 19950

(5) 13.9　(6) $\dfrac{7}{12}$　(7) $\dfrac{9}{16}$　(8) 5

解説　(1) たして 1000 になるまとまりをみつけます。

$$\overset{\overbrace{\qquad\qquad 1000 \qquad\qquad}}{\underset{\underbrace{\quad 1000 \quad}}{309 + 543 + 359 + 457 + 691}} = 359$$
$$+ 1000 + 1000 = 2359$$

(2) $\underset{\underbrace{\quad 5 \quad}}{32 \times 12 - 27 \times 12} = 5 \times 12 = 60$

(3) $7.2 - 5.6 \times \underset{\underbrace{\quad 1 \quad}}{4 \times 0.25} = 1.6$

(4) $798 \times 25 = (800 - 2) \times 25 = 800$
$\times 25 - 2 \times 25 = 20000 - 50 = 19950$

(5) $0.4 \times (37.5 - 2.75) = 15 - 1.1 =$
13.9

(6) $\dfrac{1}{4} \times \dfrac{7}{13} + \dfrac{5}{6} \times \dfrac{7}{13} = \left(\dfrac{1}{4} + \dfrac{5}{6}\right) \times$

$\dfrac{7}{13} = \left(\dfrac{3}{12} + \dfrac{10}{12}\right) \times \dfrac{7}{13} = \dfrac{13}{12} \times \dfrac{7}{13} = \dfrac{7}{12}$

(7) $\dfrac{5}{8} \times \dfrac{9}{7} - \dfrac{3}{16} \times \dfrac{9}{7} = \left(\dfrac{5}{8} - \dfrac{3}{16}\right) \times$

$\dfrac{9}{7} = \left(\dfrac{10}{16} - \dfrac{3}{16}\right) \times \dfrac{9}{7} = \dfrac{7}{16} \times \dfrac{9}{7} = \dfrac{9}{16}$

(8) $\left(\dfrac{5}{4} + \dfrac{5}{6}\right) \div \dfrac{5}{12} = \left(\dfrac{15}{12} + \dfrac{10}{12}\right) \div \dfrac{5}{12}$

$= \dfrac{25}{12} \div \dfrac{5}{12} = \dfrac{25}{12} \times \dfrac{12}{5} = 5$

2-7　分数と小数の混ざった計算

▶ p.035

1

(1) $\dfrac{61}{70}$　(2) $\dfrac{3}{40}$　（もしくは 0.075）

(3) $\dfrac{1}{10}$　（もしくは 0.1）

(4) $\dfrac{22}{5}$　$\left(もしくは 4\dfrac{2}{5},\ 4.4\right)$

解説　(2) 小数を分数に直して計算する。

$0.45 - \dfrac{3}{8} = \dfrac{45}{100} - \dfrac{3}{8} = \dfrac{9}{20} - \dfrac{3}{8} = \dfrac{18}{40}$

$- \dfrac{15}{40} = \dfrac{3}{40}$

分数を小数に直しても計算できる。

$0.45 - \dfrac{3}{8} = 0.45 - 0.375 = 0.075$

2

(1) 0.76　$\left(もしくは\dfrac{19}{25}\right)$　(2) 1

(3) 0.9　$\left(もしくは\dfrac{9}{10}\right)$

(4) 0.4　$\left(もしくは\dfrac{2}{5}\right)$

解説　簡単に小数に直せるときは，分数を小数に直して計算する。

(4) $\dfrac{3}{10} \div 0.75 = 0.3 \div 0.75 = 0.4$

小数を分数に直しても計算できる。

$\dfrac{3}{10} \div 0.75 = \dfrac{3}{10} \div \dfrac{75}{100} = \dfrac{3}{10} \div \dfrac{3}{4} =$

$\dfrac{3}{10} \times \dfrac{4}{3} = \dfrac{2}{5}$

3

(1) $\dfrac{4}{7}$　(2) $\dfrac{7}{2}$　$\left(もしくは 3\dfrac{1}{2},\ 3.5\right)$

(3) $\dfrac{41}{12}$　$\left(もしくは 3\dfrac{5}{12}\right)$　(4) 2　(5) $\dfrac{2}{3}$

(6) $\dfrac{25}{6}$　$\left(もしくは 4\dfrac{1}{6}\right)$

解説　(6) 計算のきまりを使って工夫する。

$4.7 \times \dfrac{5}{12} + 5.3 \times \dfrac{5}{12} = (4.7 + 5.3) \times$

$\dfrac{5}{12} = 10 \times \dfrac{5}{12} = \dfrac{25}{6}$

2-8　テスト2 ▶ p.036

1

(1) 18　(2) 24　(3) 48　(4) 90

解説　(1) 36 と 90 の公約数は，1, 2, 3, 6, 9,

18 で，このうち一番大きい数は 18。

(3) 16 と 24 の公倍数，48，96，144，…のうち，一番小さい数は 48。

2

(1) $\dfrac{11}{18}$　(2) $\dfrac{5}{8}$　(3) $\dfrac{19}{18}$ $\left(\text{もしくは } 1\dfrac{1}{18}\right)$

(4) $\dfrac{7}{8}$　(5) $\dfrac{3}{16}$　(6) $\dfrac{9}{20}$

(7) $\dfrac{9}{4}$ $\left(\text{もしくは } 2\dfrac{1}{4},\ 2.25\right)$

(8) $\dfrac{18}{5}$ $\left(\text{もしくは } 3\dfrac{3}{5},\ 3.6\right)$

3

(1) 79　(2) 12　(3) 29　(4) 40　(5) $\dfrac{11}{20}$

(6) 11

解説　(1) $74 + 51 - 23 \times 2 = 74 + (51 - 46) = 74 + 5 = 79$

(2) $(26 + 5 \times 38) \div 18 = (36 + 5 \times$
$\underset{5 \times 2\ \to\ 26 + 5 \times 2 = 36}{\underline{5 \times 36}}$
$36) \div 18 = 2 + 5 \times 2 = 12$

(3) $5.7 \times 2.9 + 4.3 \times 2.9 = (5.7 + 4.3) \times 2.9 = 10 \times 2.9 = 29$

(4) $8 \times 26 \times 5 - 1000$
$= 26 \times 40 - 1000$
$= 25 \times 40 + 40 - 1000$
$= 40 + (1000 - 1000)$
$= 40$

(5) $\dfrac{4}{5} \times \dfrac{11}{21} + \dfrac{1}{4} \times \dfrac{11}{21} = \left(\dfrac{4}{5} + \dfrac{1}{4}\right) \times$
$\dfrac{11}{21} = \left(\dfrac{16}{20} + \dfrac{5}{20}\right) \times \dfrac{11}{21} = \dfrac{21}{20} \times \dfrac{11}{21} = \dfrac{11}{20}$

(6) $\left(\dfrac{7}{3} + \dfrac{7}{8}\right) \div \dfrac{7}{24} = \left(\dfrac{7}{3} + \dfrac{7}{8}\right) \times \dfrac{24}{7}$
$= \dfrac{7}{3} \times \dfrac{24}{7} + \dfrac{7}{8} \times \dfrac{24}{7} = 8 + 3 = 11$

4

(1) 3.05 $\left(\text{もしくは } \dfrac{61}{20},\ 3\dfrac{1}{20}\right)$

(2) $\dfrac{47}{24}$ $\left(\text{もしくは } 1\dfrac{23}{24}\right)$

(3) $\dfrac{5}{6}$　(4) $\dfrac{27}{25}$ $\left(\text{もしくは } 1\dfrac{2}{25},\ 1.08\right)$

(5) $\dfrac{15}{2}$ $\left(\text{もしくは } 7\dfrac{1}{2},\ 7.5\right)$

(6) $\dfrac{70}{3}$ $\left(\text{もしくは } 23\dfrac{1}{3}\right)$

(7) $\dfrac{80}{3}$ $\left(\text{もしくは } 26\dfrac{2}{3}\right)$

(8) $\dfrac{1}{4}$ $\left(\text{もしくは } 0.25\right)$

解説　(1) $0.35 + \dfrac{2}{5} + 2.3 = 0.35 + 0.4 + 2.3 = 3.05$

(2) $\dfrac{1}{3} + 1.25 + \dfrac{3}{8} = \dfrac{8}{24} + \dfrac{30}{24} + \dfrac{9}{24} = \dfrac{47}{24}$

(3) $0.57 \times \dfrac{25}{9} - \dfrac{3}{4} = \dfrac{57}{100} \times \dfrac{25}{9} - \dfrac{3}{4}$
$= \dfrac{19}{4} \times \dfrac{1}{3} - \dfrac{3}{4} = \dfrac{19}{12} - \dfrac{9}{12} = \dfrac{10}{12} = \dfrac{5}{6}$

(4) 小数を分数に直して計算する。

$0.32 \times \dfrac{7}{8} + \dfrac{4}{5} = \dfrac{32}{100} \times \dfrac{7}{8} + \dfrac{4}{5} = \dfrac{7}{25}$
$+ \dfrac{20}{25} = \dfrac{27}{25}$

(5) かけ算は交換の法則がなりたつ。$\dfrac{3}{4}$
$\times 5.3 + 4.7 \times \dfrac{3}{4} = 5.3 \times \dfrac{3}{4} + 4.7 \times$
$\dfrac{3}{4} = (5.3 + 4.7) \times \dfrac{3}{4} = 10 \times \dfrac{3}{4} = \dfrac{15}{2}$

(6) $3.4 \div \dfrac{3}{7} + 6.6 \div \dfrac{3}{7} = 10 \div \dfrac{3}{7} = \dfrac{10}{1} \times \dfrac{7}{3} = \dfrac{70}{3}$

(7) $\left(7.5 - \dfrac{5}{6}\right) \div 0.25 = \left(\dfrac{45}{6} - \dfrac{5}{6}\right)$
$\div \dfrac{1}{4} = \dfrac{40}{6} \times \dfrac{4}{1} = \dfrac{80}{3}$

(8) $\left(\dfrac{16}{25} + 2.56\right) \div 12.8 = \left(\dfrac{64}{100} + \right.$
$\left. \dfrac{256}{100}\right) \div \dfrac{1280}{100} = \dfrac{320}{100} \times \dfrac{100}{1280} = \dfrac{1}{4}$

DAY 3

3-1 重さ・液量（かさ） ▶ p.039

1

(1) 15000　(2) 4.5　(3) 2700　(4) 5000

(5) 70　(6) 30　(7) 6　(8) 2.8

解説

重さの単位	かさの単位
1g = 1000mg	1L = 1000mL
1kg = 1000g	1L = 10dL
1t = 1000kg	1kL = 1000L

2

(1) 70kg　(2) 4.5g　(3) 30kg　(4) 63kg

(5) 2700L　(6) 5L

3-2 長さ・面積・体積 ▶ p.041

1

(1) 7000　(2) 250　(3) 40000　(4) 3

(5) 0.6　(6) 1.2　(7) 1　(8) 0.12

解説 (1) 1km = 1000m

(2) 1m = 100cm

(3) 1cm² = 10mm × 10mm = 100mm²

(4) 1a = 10m × 10m = 100m²

(8) 1m³ = 100cm × 100cm × 100cm = 1000000cm³

2

(1) 80000cm　(2) 0.46m　(3) 25a

(4) 2500m²　(5) 250ha

(6) 5000000cm³

3-3 単位量あたりの大きさ ▶ p.043

1

(1) 180km　(2) 1.33L　(3) 自動車

解説 (1) 9 × 20 = 180（km）

(2) 6km 離れたスーパーまで1往復しているので，進んだ距離は12km。

1L あたり9km 走れる車が，□L で12km 進んだと考えて，12 ÷ 9 = 1.333… → 1.33L

(3) 210 ÷ 30 = 7（km／L）なので，スポーツカーは，ガソリン1L あたり7km 走る。つまり，1L あたりに走れる距離は自動車の方が長いとわかる。

2

(1) 42kg　(2) 36kg　(3) A さんの畑

解説 (1) 1428 ÷ 34 = 42（kg）

(2) 18432 ÷ 512 = 36（kg）

(3) 1a あたりで比較したとき，A さんの畑では42kg，B さんの畑では36kg なので，A さんの畑の方が多く収穫できる。

3

(1) 124 人　(2) 214km²

解説 (1) $\frac{1}{10}$ の位まで計算し，$\frac{1}{10}$ の位を四捨五入する。

(2) (1)で求めた124 人という答えを使って計算する。B 町の人口密度は，

124 ÷ 2 = 62（人）

B 町の面積を□ km² とすると，

13258 ÷ □ = 62

□ = 13258 ÷ 62 = 213.8…

$\frac{1}{10}$ の位を四捨五入して，214（km²）

3-4 平均 ▶ p.045

1

280mL

解説 8.4L = 8400mL

8400 ÷ 30 = 280（mL）

2

(1) 8 冊　(2) 7 冊

解説 (2) 8月以外の11 か月で，96 − 19 = 77 冊読んでいる。

3

(1) 85 点　(2) 80 点

解説 (1) (83 × 3 + 91) ÷ 4 = 85（点）

(2) 84 × 5 − 85 × 4 = 80（点）

296g

解説 りんご 5 個の平均の重さが 287g なので，5 個の合計の重さは，287 × 5 ＝ 1435（g）

他の 4 個の重さはわかっているので，

1435 － (270 + 282 + 302 + 285) ＝ 296（g）

3-5　テスト3 ▶ p.046

1

(1) 7800　(2) 4.08　(3) 32　(4) 6.5

(5) 6.3　(6) 28　(7) 520　(8) 800

2

(1) 8g　(2) 470mL　(3) 5.4ha

解説 (1) 80 × 100 ＝ 8000（mg）

1g ＝ 1000mg なので，8000mg ＝ 8g

(2) 470dL ＝ 47000mL なので，

$47000 × \frac{1}{100} ＝ 470$（mL）

3

(1) 108kg　(2) 今年　(3) 2160kg

解説 (1) 1620 ÷ 15 ＝ 108（kg）

(3) 120 × 18 ＝ 2160（kg）

4

(1) 2.0m²　(2) 1.9m²

(3) あかりさんのクラス

解説 (1) 7 × 9 ÷ 31 ＝ 2.03…

$\frac{1}{100}$ の位を四捨五入して，2.0m²

(2) 8 × 8 ÷ 34 ＝ 1.88…

$\frac{1}{100}$ の位を四捨五入して，1.9m²

(3) 1 人あたりの教室の面積は，あかりさんのクラスの方が小さくなる。

5

(1) 85.9 点　(2) 95 点　(3) 279 点

解説 (1) (85 × 4 + 87 × 3) ÷ 7 ＝ 85.85…

(2) 8 回までの平均点を 87 点にするには，

8 回までの合計を 87 × 8 ＝ 696（点）にする必要がある。7 回目までの合計は，85 × 4 + 87 × 3 ＝ 601（点）なので，

696 － 601 ＝ 95（点）

(3) 1 回から 10 回までの平均点が 88 点になるには，合計点が 88 × 10 ＝ 880（点）になる必要がある。8 回目から 10 回目の間にとる必要がある点数の合計は，880 － 601 ＝ 279（点）

DAY 4

4-1　割合① ▶ p.049

1

(1) 0.8 倍　(2) ① 0.9 倍　② 1.1 倍

(3) 0.2 倍

解説 (2)① もとにする量は子どもの人数の 52 人，比べる量が大人の人数の 46 人。

46 ÷ 52 ＝ 0.88…

$\frac{1}{100}$ の位を四捨五入して，0.9 倍。

(2)② もとにする量は大人の人数の 46 人，比べる量が子どもの人数の 52 人。

52 ÷ 46 ＝ 1.13…

$\frac{1}{100}$ の位を四捨五入して，1.1 倍

2

(1) 8 人　(2) 187 円　(3) 360g

解説 (1) もとにする量は 32 人，割合は 0.25。32 × 0.25 ＝ 8（人）

4-2　割合② ▶ p.051

1

(1) 630 人　(2) 500m　(3) 300 ページ

(4) 2100 円　(5) ① 30 人　② 0.6 倍

解説 (1) 全児童数を□人とすると，□人の 0.4 倍が 252 人なので，□ × 0.4 ＝ 252

□ ＝ 252 ÷ 0.4 ＝ 630（人）

(5)② ①で求めた 30 人という答えを使って計算する。

4-3 百分率と歩合 ▶ p.053

1

(1) 百分率…60%，歩合…6 割

(2) 百分率…128%，歩合…12 割 8 分

(3) 百分率…3%，歩合…3 分

2

(1) 0.07　(2) 0.54　(3) 3.05　(4) 0.024

(5) 0.37　(6) 0.548

3

(1) 40　(2) 2　(3) 21　(4) 36　(5) 8

(6) 60

解説 (1) $8 \div 20 = 0.4$

百分率に直すと，40%

(2) 3m = 300cm なので，$60 \div 300 = 0.2$

歩合に直すと，2 割

(3) 3 割→ 0.3 なので，$70 \times 0.3 = 21$（L）

(4) 45%→ 0.45 なので，$80 \times 0.45 = 36$（m）

(5) 150%→ 1.5，$\square \times 1.5 = 12$（km²）なので，$\square = 12 \div 1.5 = 8$（km²）

(6) 60%→ 0.6，$\square \times 0.6 = 36$（cm³）なので，$\square = 36 \div 0.6 = 60$（cm³）

4-4 比 ▶ p.055

1

(1) 5：8　(2) 4：3　(3) 4：9

2

(1) $\dfrac{3}{4}$　（もしくは 0.75）　(2) $\dfrac{5}{3}$　(3) $\dfrac{2}{3}$

(4) $\dfrac{4}{7}$

3

(1) 1：2　(2) 2：3　(3) 2：3　(4) 11：4

(5) 25：16　(6) 3：4

解説 A：B の A と B 両方に同じ数をかけたり，A と B 両方を同じ数でわったりすることで，一番簡単な数で比を表す。

(4) $0.77 : 0.28 = (0.77 \times 100 \div 7)$
$: (0.28 \times 100 \div 7) = (77 \div 7)$
$: (28 \div 7) = 11 : 4$

(5) $1.25 : 0.8 = (1.25 \times 20) : (0.8 \times 20)$
$= 25 : 16$

(6) $\dfrac{1}{6} : \dfrac{2}{9} = \left(\dfrac{1}{6} \times 18 \right) : \left(\dfrac{2}{9} \times 18 \right)$
$= 3 : 4$

4

(1) 6　(2) 9

解説 (1) $2 : 5 = x : 15$ （×3）

(2) $49 : 63 = 7 : x$ （÷7）

4-5 比例 ▶ p.057

1

(1) 3 倍　(2) $y = 12 \times x$　(3) 420 円

解説 (1) x の値が 3 倍になっているために，y の値も 3 倍になっている。

(2) 表を縦にみると，$1 \times 12 = 12$，$2 \times 12 = 24$，$3 \times 12 = 36$，……，と，y の値はいつでも x の 12 倍になっている。

(3) 35 人に配るために，35 個のガムを買う。ガムの数が 35 個のとき，つまり x の値が 35 のときの y の値を求める。

$y = 12 \times 35 = 420$（円）

2

(1) ⓐ12　ⓘ20　(2) 時速 4km

(3) $y = 4 \times x$　(4) ア

解説 (1) 表を横にみていくと，x が 1 増えるごとに，y は 4 増える。

(2) 1 時間に 4km 歩いているので，速さ = 距離 ÷ 時間より，$4 \div 1 = 4$（km／時）

(4) グラフが 0 を通り，表の x と y の値の組み合わせがグラフ上にあるのは，アだけ。

4-6 反比例 ▶ p.059

1

(1) $\frac{1}{4}$ 倍　(2) 36　(3) $y = 36 \div x$

解説 (1) x の値が 4 倍になると，対応する y の値は $\frac{1}{4}$ 倍になる。

(2) 表を縦にみると，$1 \times 36 = 36$，$2 \times 18 = 36$，$3 \times 12 = 36$，……と，x と y の積はいつも 36 になる。つまり，長方形の面積の公式である，縦の長さ × 横の長さ ＝ 面積という関係を表している。

2

(1) あ8　⊙12　(2) $y = 24 \div x$　(3) ウ

解説 (1) x の値と y の値の積はいつも 24 になる。

(3) 表の x と y の値の組をなめらかな曲線で結ぶと，ウのグラフになる。

4-7 テスト 4 ▶ p.060

1

(1) 0.4 倍　(2) 27cm　(3) 32 個

(4) 2000 円

解説 (1) もとにする量である全体の重さは，$60 + 60 + 30 + 100 = 250$（g）比べる量である小麦粉の重さは 100 g なので，$100 \div 250 = 0.4$

(3) はじめにあったチョコレート□個の 0.125 倍が 4 個なので，$\square \times 0.125 = 4$
$\square = 4 \div 0.125 = 32$（個）

(4) 今月のおこづかい□円の 0.48 倍が 960 円なので，$\square \times 0.48 = 960$
$\square = 960 \div 0.48 = 2000$（円）

2

(1) 2980 円　(2) 450 人　(3) 2100 円

解説 (1) 3 割引きで買ったということは，定価□円の 7 割の値段で買ったということ。
$\square \times 0.7 = 2086$（円）

$\square = 2086 \div 0.7 = 2980$（円）

(2) $250 \times 1.8 = 450$（人）

1 を超える割合のときは，もとにする量より大きくなる。

(3) 子どもの料金 1260 円は，大人の料金□円の 6 割の値段なので，

$\square \times 0.6 = 1260$（円）

$\square = 1260 \div 0.6 = 2100$（円）

3

(1) 7：12　(2) $\frac{5}{6}$　(3) 13

解説 (1) $\frac{1}{3} : \frac{4}{7} = \left(\frac{1}{3} \times 21 \right) : \left(\frac{4}{7} \times 21 \right) = 7 : 12$

(3) 48：78 ＝ 8：x（÷6）　$78 \div 6 = 13$

4

(1) 2 倍，3 倍，…になる。

(2) $y = 6 \times x$　(3) 1500 枚

解説 (2) y の値は x の値の 6 倍になっている。

(3) 花を 250 個つくるということは，x の値が 250 のとき。(2)の式の x に 250 を当てはめて，$y = 6 \times 250 = 1500$（枚）

5

(1) 3000　(2) $y = 3000 \div x$　(3) 250m

解説 (1) $1 \times 3000 = 3000$，$2 \times 1500 = 3000$，$3 \times 1000 = 3000$，……と，x と y の積はいつも 3000 になっている。

(2) y と x の積は 3000 なので，
$x \times y = 3000$　つまり，$y = 3000 \div x$

(3) 12 人で走るときとは，x の値が 12 のときということなので，
$y = 3000 \div 12 = 250$（m）

DAY 5

5-1　線対称・点対称 ▶ p.063

1

(1) 角 E　(2) 辺 BA　(3) 点 A

2

下の図

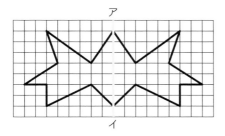

3

(1) 点 D　(2) 辺 EF　(3) 90°

(4) 右の図

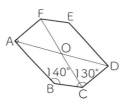

解説 (3) 点対称な図形では，対応する角の大きさは等しくなる。

(4) 対応する点同士を結んだ線は，対称の中心を通る。

5-2　拡大図・縮図 ▶ p.065

1

(1) ⑦（の図形）　(2) ⑨（の図形）　(3) ⑤（の図形）　(4) $\frac{1}{4}$ 倍　（もしくは 0.25 倍）

解説 (2) 対応するすべての辺が 2 倍になっている図形を探す。

(3) 対応するすべての辺が $\frac{1}{2}$ になっている図形を探す。

(4) ⑦の図形の面積は，8 × 6 = 48（マス）。(3)より，⑤の面積は，4 × 3 = 12（マス）。よって，12 ÷ 48 = $\frac{12}{48}$ = $\frac{1}{4}$（倍）

2

(1) 2cm　(2) 60°

5-3　三角形とその面積 ▶ p.067

1

(1) 6cm²　(2) 10cm²　(3) 6m²　(4) 21cm²

解説 (3) 底辺と高さは垂直であることに気をつけよう。

2

(1) 4cm²　(2) 16cm²

解説 (1) 大きい三角形の面積から白い部分の三角形の面積をひく。

4 × 5 ÷ 2 − 4 × 3 ÷ 2 = 4 (cm²)

別解として，(5 − 3) × 4 ÷ 2 = 4(cm²) と求めることもできる。

3

(1) 12cm　(2) 6cm

解説 (1) 高さを□ cm とすると，

5 × □ ÷ 2 = 30 (cm²)

となる。

5 × □ = 60, □ = 60 ÷ 5 = 12 (cm)

5-4　四角形とその面積 ▶ p.069

1

(1) 30cm²　(2) 22cm²　(3) 12cm²

(4) 24cm²　(5) 30cm²　(6) 96cm²

2

(1) 7cm　(2) 24cm　(3) 12.5m²

解説 (2) ひし形のもう一本の対角線の長さを□ cm とすると，

8 × □ ÷ 2 = 96 (cm²)

となる。

8 × □ = 192, □ = 192 ÷ 8 = 24

(3) 正方形もすべての辺の長さが等しいので，ひし形とみることができる。また，正方形は対角線の長さがそれぞれ等しいので，5 × 5 ÷ 2 = 12.5 (m²)

1

(1) 72°　(2) 二等辺三角形

解説 (1) あの角は，360°を5等分した大きさなので，360°÷5 = 72°

(2) ○は円の中心であり，円周上のそれぞれの頂点までの距離は等しいので，OAとOBの長さが等しい三角形になる。

なお，あの角が72°なので，正三角形ではない。

2

(1) 72m²　(2) 30.5m²　(3) 28cm²

(4) 33cm²

解説 (1) 右の図のように，あといに分けて計算すると，次のようになる。

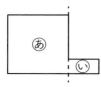

あ…8 × 8 = 64（m²）

い…(12 − 8) × (8 − 6) = 4 × 2 = 8（m²）

合計…64 + 8 = 72（m²）

他にも，うとえに分けたり，赤いおからその一部であるかをひいたりしても答えが求められる。

3

72m²

解説 道の部分をつめると，求める畑の面積は，12 × 6 = 72（m²）　となる。

5-6　テスト5　▶ p.072

1

㋐○　㋑◎　㋒△　㋓×　㋔○

解説 線対称な図形は，対称の軸がある。また，点対称な図形は，1つの点を中心に

180度回転したときにぴったり重なる図形である。

2

(1) 8cm　(2) $\frac{16}{9}$倍

解説 (1) 対応する辺である辺BCと辺EFを比較すると，倍率は，

$12 ÷ 9 = \frac{12}{9} = \frac{4}{3}$（倍）

になる。よって，辺DEの長さは，

$6 × \frac{4}{3} = 8$（cm）

(2) あの図形の面積は，

$9 × 6 ÷ 2 = 27$（cm²）

いの図形の面積は，

$12 × 8 ÷ 2 = 48$（cm²）

よって，いの図形の面積をもとにしたとき，あの図形の面積は，

$48 ÷ 27 = \frac{48}{27} = \frac{16}{9}$（倍）

3

(1) 5cm　(2) 10cm　(3) $\frac{1}{9}$倍

解説 (3) (1)より三角形ABCの高さは5cmなので，$\frac{1}{3}$倍の縮図の三角形の高さは$\frac{5}{3}$cm，底辺は4cmになる。

よって，縮図の三角形の面積は，

$4 × \frac{5}{3} ÷ 2 = \frac{10}{3}$（cm²）

三角形ABCの面積は30cm²なので，

$\frac{10}{3} ÷ 30 = \frac{10}{90} = \frac{1}{9}$（倍）

4

(1) 12cm²　(2) 17.5cm²　(3) 60cm²

(4) 120m²

(5) 59.5cm² $\left(59\frac{1}{2}\text{cm}^2,\ \frac{119}{2}\text{cm}^2\right)$

(6) 10cm²　(7) 96cm²

(8) 11.75cm² $\left(11\frac{3}{4}\text{cm}^2,\ \frac{47}{4}\text{cm}^2\right)$

解説 (4) 底辺と高さをまちがえないように注意しよう。

(6) 2 つの直角三角形に分けて考える。

(7) 点線でかかれた大きな長方形の面積の半分と考えると，

$(4 + 8) × (6 + 10) ÷ 2$

$= 12 × 16 ÷ 2$ 縦 × 横の半分
→対角線 × 対角線 ÷ 2 になっている

$= 96 (cm^2)$

4 つの直角三角形（または 2 つの三角形）に分けて考えることもできる。

(8) 2 つの三角形と台形に分けて考える。

5

252m²

解説 通路の幅の分をつめて考えると，求める土地の面積は，21m × 12m になる。

DAY 6

6-1　三角形の角 ▶ p.075

1

(1) 80°　(2) 75°　(3) 125°　(4) 130°

解説 (4) 下の図で，⊛の角の大きさが

$180° − (60° + 70°) = 50°$ なので，⊛の角の大きさは，$180° − 50° = 130°$

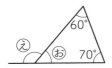

2

(1) 80°　(2) 115°

解説 (1) 四角形のすべての角の大きさの和は，360° であることを使う。

3

(1) 720°　(2) 60°

解説 (1) 六角形の 1 つの頂点から引ける対角線は 3 本。それによって，4 つの三角形に分けることができる。

$180° × 4 = 720°$

(2) 正六角形は 6 つの角の大きさがすべて

等しいので，1 つの角の大きさは，

$720° ÷ 6 = 120°$

⊛の角の大きさは，

$180° − 120° = 60°$

6-2　円と円周 ▶ p.077

1

(1) 25.12cm　(2) 18.84cm　(3) 75.36m

2

(1) 41.12cm　(2) 28.56cm　(3) 24.84cm

(4) 33.12cm

解説 (1) 円周の半分 + 直径なので，

$16 × 3.14 × \frac{1}{2} + 16 = 41.12 (cm)$

(2) 円周の $\frac{1}{4}$ + 半径 2 つ分なので，

$8 × 2 × 3.14 × \frac{1}{4} + 8 × 2 = 28.56 (cm)$

(3) 半径 6cm の円周の $\frac{1}{4}$ と，直径 6cm の円周の半分と，半径 6cm が 1 つ分なので，

$6 × 2 × 3.14 × \frac{1}{4} + 6 × 3.14 × \frac{1}{2} + 6 = 24.84 (cm)$

(4) 直径が 12cm と 4cm の円周の半分ずつと，直線部分 8cm の合計だから，

$12 × 3.14 × \frac{1}{2} + 4 × 3.14 × \frac{1}{2} + 8$

$= (12 + 4) × 3.14 × \frac{1}{2} + 8$

$= 16 × 3.14 × \frac{1}{2} + 8$

$= 8 × 3.14 + 8$

$= 25.12 + 8$

$= 33.12 (cm)$

計算のきまりを使うと計算が簡単になる場面が多いので，計算のきまりの使い方に慣れておくとよい。

6-3 円の面積 ▶ p.079

1

(1) 28.26cm²　(2) 113.04cm²

(3) 25.12cm²　(4) 38.465cm²

解説 (3) 半円は円を二等分した図形。半径は 8 ÷ 2 = 4（cm）だから，

$$4 \times 4 \times 3.14 \times \frac{1}{2} = 25.12 \, (\text{cm}^2)$$

(4) $7 \times 7 \times 3.14 \times \frac{1}{4} = 38.465 \, (\text{cm}^2)$

2

(1) 41.04cm²　(2) 110.08cm²

(3) 50.24cm²　(4) 56.52cm²

解説 (1) 半径 12cm の円を四等分した図形から直角二等辺三角形をひいた図形。

$$12 \times 12 \times 3.14 \times \frac{1}{4} - 12 \times 12 \times \frac{1}{2}$$

$$= 12 \times 3 \times 3.14 - 12 \times 6$$

$$= 12 \times 3 \times 3.14 - 12 \times 3 \times 2$$

$$= 12 \times 3 \times (3.14 - 2) \quad \substack{\bigcirc \times \triangle - \square \times \triangle \\ = (\bigcirc - \square) \times \triangle}$$

$$= 36 \times 1.14 = 41.04 \, (\text{cm}^2)$$

(2) 一辺が 16cm の正方形から，半径 16cm の円を四等分した図形をひいた図形が 2 つ向かい合っている図形とみることができる。1 つ分の面積は，

$$16 \times 16 - 16 \times 16 \times 3.14 \times \frac{1}{4}$$

$$= 16 \times 16 - 16 \times 4 \times 3.14$$

$$= 16 \times (16 - 12.56)$$

$$= 16 \times 3.44 = 55.04 \, (\text{cm}^2)$$

よって，求める面積は，

$$55.04 \times 2 = 110.08 \, (\text{cm}^2)$$

(3) 一番外側の円の半径は，

(8 + 4) ÷ 2 = 6cm になる。

$$6 \times 6 \times 3.14 - 4 \times 4 \times 3.14 - 2 \times 2 \times 3.14$$

$$= 36 \times 3.14 - 16 \times 3.14 - 4 \times 3.14$$

$$= (36 - 16) \times 3.14 - 4 \times 3.14$$

$$= (20 - 4) \times 3.14$$

$$= 16 \times 3.14$$

$$= 50.24 \, (\text{cm}^2)$$

$\substack{\bigcirc \times \triangle - \square \times \triangle \\ = (\bigcirc - \square) \times \triangle}$ を 2 回使う（できる人は一気にまとめてもよい）

(4) 右の図のように半円の向きを変えると，半径 6cm の円から直径 6cm（半径 3cm）の円を 2 つひいた形になる。

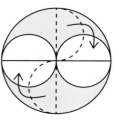

$$6 \times 6 \times 3.14 - 3 \times 3 \times 3.14 \times 2$$

$$= 36 \times 3.14 - 18 \times 3.14$$

$$= (36 - 18) \times 3.14$$

$$= 18 \times 3.14 = 56.52 \, (\text{cm}^2)$$

6-4 立方体と直方体の体積・容積
▶ p.081

1

(1) 70cm³　(2) 64cm³

2

658cm³

解説 下の図のように，あといに分けて計算する。

$$7 \times 8 \times 3 + 7 \times 14 \times 5$$

$$= 7 \times (24 + 70)$$

$$= 7 \times 94 = 658 \, (\text{cm}^3)$$

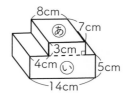

3

(1) 360000cm³　(2) 360L　(3) 288L

解説 (2) 1000cm³ = 1L なので，

360000cm³ = 360L

(3) 8 割は 0.8 倍なので，

360 × 0.8 = 288（L）

6-5 角柱・円柱の体積 ▶ p.083

1

(1) 585cm³　(2) 140cm³　(3) 165cm³

(4) 169.56cm³　(5) 87.92cm³

(6) 388.8cm³

解説 (5) 底面が円を 4 等分したうちの 1 つ

である図形なので，立体の体積は，

$$4 × 4 × 3.14 × \frac{1}{4} × 7 = 87.92 \, (cm³)$$

底面の半径が 4cm の円柱の体積の $\frac{1}{4}$ と考

えて求めることもできる。

(6) 底面が，正方形から半円が取りのぞか

れた図形なので，立体の体積は，

$$\left(8 × 8 - 4 × 4 × 3.14 × \frac{1}{2}\right) × 10$$

$$= (8 × 8 - 8 × 3.14) × 10$$

$$= 8 × (8 - 3.14) × 10$$

$$= 8 × 4.86 × 10$$

$$= 388.8 \, (cm³)$$

同じ立体を 2 つくっつけた形を考えて，(直

方体 - (円柱 ÷ 2) として求めることもでき

る。

6-6 テスト6 ▶ p.084

1

(1) 70°　(2) 80°　(3) 75°　(4) 100°

解説 (1) 下の図の⑥の角度は，

$$180° - 130° = 50°$$

なので，⑥は，

$$180° - (60° + 50°) = 70°$$

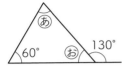

(4) 五角形は，1 つの頂点から引いた対角

線によって 3 つの三角形に分けることができ

るので，五角形のすべての角の和は $180°$

$× 3 = 540°$ になる。

2

(1) まわりの長さ…56.52cm

　　面積…254.34cm²

(2) まわりの長さ…25.7cm

　　面積…39.25cm²

(3) まわりの長さ…16.56cm

　　面積…18.84cm²

(4) まわりの長さ…16.56cm

　　面積…6.28cm²

解説 (3) 円を 4 等分したうちの 1 つの図形

である左側の部分と，半円である右側の部

分とに分けて考える。

(4) 円を 4 等分したうちの 1 つの図形から，

半円をひいた形。

3

(1) 1140cm³　(2) 210cm³　(3) 36cm³

(4) 1695.6cm³

解説 (4) 底面を，半径が 6cm の円から半

径が 3cm の円をくりぬいた形とみると，底

面積は，$6 × 6 × 3.14 - 3 × 3 × 3.14 =$

$84.78 \, (cm²)$

体積は，$84.78 × 20 = 1695.6 \, (cm³)$

なお，底面の半径が 6cm の円柱から，底

面の半径が 3cm の円柱をくりぬいた立体

とみてもよい。

4

(1) 54000cm³　(2) 41.328L　(3) 630 個

解説 (2) 板の厚さが 2cm なので，うちのり

は，縦が $(40 - 2 × 2)$ cm，横が $(45 - 2$

$× 2)$ cm，高さが $(30 - 2)$ cm となる。

容積は，

$(40 - 2 × 2) × (45 - 2 × 2) × (30 - 2)$

$= 36 × 41 × 28 = 41328cm³$ となる。

また，$1000cm³ = 1L$ なので，

$41328cm³ = 41.328L$

(3) (2)より，うちのりの縦が 36cm，横が

41cm，高さが 28cm になる。

一辺が 4cm のさいころを入れると，縦には

36 ÷ 4 ＝ 9 個，横には 41 ÷ 4 ＝ 10 個
あまり 1cm，高さには 28 ÷ 4 ＝ 7 個ずつ
入るので，9 × 10 × 7 ＝ 630 個入ること
になる。

DAY 7

7-1　並び方 ▶ p.087

1

(1) 6 通り　(2) 24 通り

解説 (1) 残りの 3 人がくじを引く順番の決
め方は右のようにな
るので 6 通り。

(2) 最初にくじを引く
人が A 以外のとき
も，それぞれ順番の
決め方は 6 通りず
つあるので，6 通り × 4 ＝ 24 通り

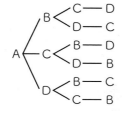

2

(1) 6 通り　(2) 4 通り

解説 (1) 樹形図は右
のようになり，3 けた
の数は，125，152，
215，251，512，
521 の 6 通り。

百の位	十の位	一の位
1	2	5
	5	2
2	1	5
	5	1
5	1	2
	2	1

(2) 200 より大きい数は，215，251，512，
521 の 4 通り。

3

(1) 24 通り　(2) 6 通り　(3) 12 通り

解説 (2) ○ D ○○と
いう座席の順番で，
残りの 3 つの場所に
残りの 3 人が座る座
り方を考えると，樹
形図は右のようにな
る。

左　3番目　右
A — B — C
A — C — B
B — A — C
B — C — A
C — A — B
C — B — A

(3) A と B がとなり合わせに座る場合は，

AB ○○，○ AB ○，○○ AB という座り
方に，A と B が入れ替わった場合を考えて，
3 通り × 2 ＝ 6 通り。残りの○に C と D
が座る座り方は 2 通りなので，6 通り × 2
＝ 12 通り

7-2　組み合わせ ▶ p.089

1

6 通り

2

(1) 3 回（ずつ）　(2) 6 通り

解説 (1) 1 人あたり他の 3 人とそれぞれ試合
をすることになる。

(2) （チーム数 － 1）×（チーム数）÷ 2 より，
3 × 4 ÷ 2 ＝ 6 通り
または，右の図のよ
うに考えて，6 通り。

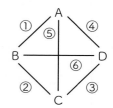

3

10 通り

解説 5 つの中から 3 つを選ぶことは，選ば
ない 2 つを選ぶことと同じ。よって選び方
は，
4 × 5 ÷ 2 ＝ 10
通り
または，右の図の
ように考えて，10
通り。

4

(1) 10 通り　(2) 4 通り

解説 (1) **3** と同様，5 つの中から 3 つを選
ぶことは，選ばない 2 つを選ぶことと同じ
なので，選び方は 10 通り。たとえ，ケー
キとカードというように題材が変わったとし
ても，選び方の考え方が変わるわけではな
い。惑わされないようにしよう。

(2) カード 5 枚全部の合計は，1 ＋ 2 ＋ 3

＋ 4 ＋ 5 ＝ 15 だから，選んだカードの合計が 10 以上になるのは，選ばなかった 2 枚の合計が 5 以下のとき。選ばない 2 枚の選び方 10 通りのうち，合計が 5 以下になるのは，（1 と 2），（1 と 3），（1 と 4），（2 と 3）の 4 通り。

なお，3 つの数の選び方 10 通りを書き出して調べてもよい。

7-3 代表値（平均値・中央値・最頻値）
▶ p.091

1

(1) 次の図　(2) 0.9　(3) 0.9　(4) 1.0

(5) 次の図の矢印

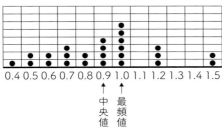

解説 (1) ドットプロットは，1 つのデータを 1 つの点として表したもの。

(2) (0.4 ＋ 0.5 × 2 ＋ 0.6 × 2 ＋ 0.7 × 3 ＋ 0.8 × 2 ＋ 0.9 × 4 ＋ 1.0 × 6 ＋ 1.2 × 3 ＋ 1.5 × 2) ÷ 25 ＝ 0.9

(3) クラス全員の人数は 25 人（奇数）なので，視力順に並べたときに 13 人目の人の値が中央値になる。

(4) 一番多いのは，視力が 1.0 の 6 人。

7-4 度数分布 ▶ p.093

1

(1) 40 人　(2) 8 人

(3) 60 点以上 80 点未満

(4) 40 点以上 60 点未満

(5) 40 点以上 60 点未満

解説 (1) ヒストグラムの縦の軸は，一目盛

りが 1 人であることに着目して，各階級の度数を数え，合計する。

(3) この場合，度数は人数のことなので，一番人数が多い階級を答える。

(5) 点数の高い方から人数を数える。80 点以上の人は 7 人なので，20 人目の人はまだふくまれていない。次に 60 点以上の人は，7 人 ＋ 12 人 ＝ 19 人なので，20 人目の人はまだふくまれていない。さらに，40 点以上の人は，（60 点以上の）19 人 ＋ 8 人 ＝ 27 人なので，この階級に 20 人目の人がふくまれる。

2

(1) 8　(2) 次の図

解説 (1) 各階級の人数をすべて合計すると，クラス全体の 32 人になるところから考える。

(2) 縦の軸の一目盛りが 1 人であることに注意する。

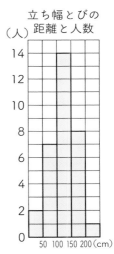

立ち幅とびの距離と人数

7-5 テスト 7 ▶ p.094

1

(1) 60 通り　(2) 18 通り　(3) 16 通り

(4) 12 通り　(5) 10 試合

解説 (1) A が委員長になったとき，残りの 4 人から副委員長と書記を選ぶ選び方は，樹形図をかくと右のようになり，12 通り。A 以外の人が委員長になったときも同様に 12 通りあるので，12 通り × 5

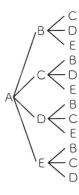

＝ 60 通りになる。

(2) 1 のカードを千の位においたとき，残りの 3 枚の並べ方は 6 通りある。他のカードの場合も同様。しかし，4 けたの数をつくるためには，0 のカードだけは，千の位におくことができないことに注意する。

2

(1) 4 (2) 15 分以上 20 分未満

解説 (1) 各階級の人数をすべてたすと，クラス全員の人数になる。

(2) 15 分以上 20 分未満の度数（10 人）が一番多い。

3

(1) 次の図

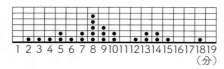

1 2 3 4 5 6 7 8 9 10 11 12 13 14 15 16 17 18 19
　　　　　　　　　　　　　　　　　　　（分）

(2) 9 分 (3) 8 分 (4) 8 分

(5) 次の図

通学時間と人数

時間（分）		人数（人）
以上	未満	
0 ～	3	1
3 ～	6	4
6 ～	9	8
9 ～	12	5
12 ～	15	5
15 ～	18	1
18 ～	21	1
計		25

(6) 6 分以上 9 分未満

(7) 次の図

通学時間と人数
（人）

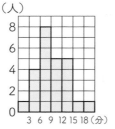

　3 6 9 12 15 18（分）

解説 (2) (2 ＋ 3 ＋ 4 ＋ 5 × 2 ＋ 6 ＋ 7 × 2 ＋ 8 × 5 ＋ 9 × 3 ＋ 10 × 2 ＋ 12 ＋ 13 × 2 ＋ 14 × 2 ＋ 15 ＋ 18) ÷ 25 ＝ 9

(3) クラスの人数は 25 人なので，通学時間の長さ順に並べたときに 13 人目の人の値が中央値になる。

(4) 一番多いのは 5 人なので，8 分の人。

(6) 度数が一番多い階級は 8 人の 6 分以上 9 分未満。